D1106350

CREATIVIDAD

Biblioteca Edward de Bono

Títulos publicados:

1. E. de Bono - *Seis sombreros para pensar*
2. E. de Bono - *Creatividad*

Edward de Bono

CREATIVIDAD

62 ejercicios para desarrollar la mente

PAIDÓS

Barcelona
Buenos Aires
México

Título original: *How to have creative ideas*
Publicado en inglés, en 2007, por Vermilion an imprint of Ebury Publishing,
a division of Random House Group, Londres

Traducción de Ramón Martínez Castellote

Cubierta de Idee

Quedan rigurosamente prohibidas, sin la autorización escrita de los titulares del
copyright, bajo las sanciones establecidas en las leyes, la reproducción total o parcial
de esta obra por cualquier medio o procedimiento, comprendidos la reprografía y el
tratamiento informático, y la distribución de ejemplares de ella mediante alquiler o
préstamo públicos.

© 2007 McQuaig Group, Inc
© 2008 de la traducción, Ramón Martínez Castellote
© 2008 de todas las ediciones en castellano,
  Ediciones Paidós Ibérica, S.A.,
  Av. Diagonal, 662-664 - 08021 Barcelona
  www.paidos.com

ISBN: 978-84-493-2080-4
Depósito legal: B. 53.457/2007

Impreso en Hurope, S.L.
Lima, 3 - 08030 Barcelona

Impreso en España - Printed in Spain

SUMARIO

SUMARIO

INTRODUCCIÓN

Todo el mundo quiere ser creativo.

Todo el mundo debería ser creativo. La creatividad hace que la vida sea más divertida, más interesante y más plena de triunfo.

La investigación muestra que el 94 por ciento de los jóvenes valoran el «triunfo» como lo más importante de sus vidas. La creatividad es la habilidad clave necesaria para triunfar.

Sin creatividad sólo hay repetición y rutina. Éstas son altamente valiosas y dan lugar a la mayor parte de nuestro comportamiento; pero la creatividad es necesaria para cambiar, mejorar y abrir nuevas direcciones.

En el mundo de los negocios, la creatividad se ha convertido en algo esencial. Esto se debe a que todo lo demás ha llegado a ser una mercancía al alcance de todos.

Si su única esperanza de supervivencia es que su organización continúe siendo más competente que la de sus competidores, ésa es una postura débil. No hay nada que pueda hacer para evitar que sus competidores se vuelvan también competentes.

La información se ha convertido en un bien al alcance de todos. La tecnología actual se ha convertido en un artículo de consumo más, con algunas excepciones en que una vida de patente de dieciséis años ofrece cierta protección.

Imagine un concurso de cocina con varios chefs en torno a una gran mesa. Cada chef dispone de los mismos ingredientes y de las mismas facilidades para cocinar. ¿Quién gana la competición?

Al nivel inferior, gana el chef con mayor calidad. Pero al nivel superior, todos los chefs tienen una calidad excelente. De modo que ¿quién gana? El chef que puede convertir los mismos ingredientes en una calidad superior.

En los negocios, competir con los precios de la India y China es imposible. Eso nos obliga a crear un nuevo valor como base para competir. Y esto requiere un compromiso más serio con la creatividad que el que tenemos ahora.

LA CREATIVIDAD COMO TALENTO

Demasiada gente cree que la creatividad es un talento con el que algunas personas nacen y que el resto sólo puede envidiarlas. Ésta es una actitud negativa que es completamente errónea.

La creatividad es una habilidad que se puede aprender, desarrollar y aplicar.

Llevo enseñado pensamiento creativo durante más de treinta años a una variedad de personas:

- **de 4 a 90 años.**
- **desde niños con síndrome de Down hasta laureados con el premio Nobel.**
- **desde mineros analfabetos en África hasta los más altos ejecutivos.**

Empleando sólo una de las técnicas del «pensamiento lateral», un grupo de talleres generó 21.000 ideas para una empresa de acero en poco más de media tarde.

DESINHIBIDO

Un hombre común camina por una carretera. Un grupo de personas le atrapa y le ata con una cuerda. Entonces, alguien saca un violín. Obviamente, el hombre atado con la cuerda no puede tocar el violín. ¿Qué decimos a eso? Aseguramos que, si alguien cortara la cuerda, el hombre podría tocar el violín. Esto es absurdo. Cortar la cuerda no hará del hombre un violinista.

Por desgracia, tenemos la misma actitud con respecto a la creatividad. Si estás inhibido es difícil ser creativo. Por consiguiente, ¡si hacemos que te desinhibas, serás creativo!

Ésta es la base del *brainstorming* y de otras técnicas que se han popularizado. Hay cierto mérito en estos sistemas, pero el enfoque es muy débil. Las «herramientas» formales y deliberadas del pensamiento lateral son mucho más poderosas.

El cerebro está diseñado para «no ser creativo». Si lo fuese, la vida sería imposible. Con once prendas para ponerse por la mañana, hay 39.916.800 maneras de vestirse.

Si probase una manera cada minuto, necesitaría vivir hasta los 76 años y pasar todo su tiempo de vigilia probando formas de vestirse.

Por suerte para nosotros, el cerebro está diseñado para formar patrones estables con los que tratar con un universo estable. Ésa es la excelencia del cerebro, y deberíamos estar muy agradecidos por ello.

De modo que librarnos de la inhibición es importante, pero es sólo una forma débil de desarrollar nuestra creatividad.

LA CREATIVIDAD COMO HABILIDAD

La creatividad es una habilidad que todos pueden aprender, practicar y usar.

Es una habilidad como puede serlo esquiar, jugar al tenis, cocinar o aprender matemáticas.

Todos pueden aprender estas habilidades. Al final, no todos van ser igual de buenos en ellas. Algunas personas cocinan mejor que otras. Algunas personas juegan al tenis mejor que otras. Pero todo el mundo puede aprender la técnica. Y todo el mundo puede intentar ser mejor mediante la práctica.

LA CREATIVIDAD NO ES UN MISTERIO

Ahora, por primera vez en la historia, podemos considerar la creatividad, la conducta «lógica» de cierto tipo de sistema de información. El misterio y la mística se pueden separar de la creatividad.

1. **Es necesario que veamos el cerebro humano como un sistema de información «auto-organizado».**
2. **Los sistemas de información «auto-organizados» forman patrones.**
3. **Todos los sistemas de formación de patrones son «asimétricos».**
4. **Ésta es la base del humor y la creatividad. El humor es, con mucho, el comportamiento más significativo del cerebro humano, porque indica la naturaleza del sistema subyacente. La razón nos dice muy poco porque cualquier «sistema de or-**

ganización» recorrido hacia atrás es un sistema de razonamiento. El humor muestra patrones asimétricos. Esto significa que la ruta desde A hasta B no es la misma que la ruta desde B hasta A.

El «pensamiento lateral» es la creatividad dedicada a cambiar ideas, percepciones y conceptos. En lugar de trabajar más exhaustivamente con las mismas ideas, percepciones y conceptos, intentamos cambiarlos.

Esta «creatividad de ideas» no es la misma que la «creatividad artística», razón por la cual se necesitaba una designación nueva.

Todas estas cosas se explican en mis libros sobre el pensamiento lateral; la comprensión de estos sistemas es la base lógica para las herramientas prácticas del pensamiento lateral.

LA PALABRA «CREATIVO»

La palabra «crear» significa traer a la existencia algo que antes no existía.

Alguien, por ejemplo, puede crear «un lío». Esto significa traer a la existencia un lío que antes no existía. ¿Es creativa esta persona?

Nos apresuramos a añadir que lo que se trae a la existencia ha de tener «valor». De modo que la creatividad es traer a la existencia algo que tenga valor.

Está también, naturalmente, el elemento de «novedad»; porque la repetición —no importa lo valiosa que sea— no se considera creativa.

La palabra «creativo» ha sido adoptada principalmente por las artes, porque en las artes todo trabajo es nuevo y tiene valor. Es cierto que el valor no siempre se reconoce en un principio. Los pintores impresionistas, por ejemplo, no fueron plenamente apreciados en su tiempo.

En la lengua inglesa no existe una palabra para distinguir la creatividad de nuevas ideas de la creatividad en el arte. Por tanto, cuando yo afirmo que la «creatividad» de hecho puede enseñarse, me preguntan si Beethoven pudo crearse de esta manera. La respuesta es «no», pero la «creatividad de ideas» se puede enseñar, aprender y desarrollar de una manera formal. El propósito de los ejercicios contenidos en este libro es ayudar a desarrollar los hábitos creativos de la mente.

La creatividad del mundo del arte comporta en gran medida un «juicio estético». El artista juzga que algo está «bien». Esto es bastante distinto de la capacidad de producir nuevas ideas. Si bien los artistas pueden ser excelentes en su campo, no son especialmente buenos en cambiar ideas y en crear nuevas.

Este problema de lenguaje tiene dos consecuencias muy importantes.

La primera consecuencia es que las autoridades de la educación creen que están «enseñando creatividad» al fomentar la danza y la música. Esto es un completo error. Estas actividades tienen valor en sí mismas pero no enseñan creatividad.

La segunda consecuencia es que la gente afirma que si no se puede crear un Beethoven por encargo, entonces la creatividad no puede enseñarse. Esto también es una estupidez. La creatividad de ideas puede enseñarse.

Como dato de interés, mi trabajo se emplea bastante ampliamente en el mundo de las artes y, particularmente, en la música. Dado que la música no representa sonidos existentes, requiere una gran cantidad de creatividad y no sólo de expresión.

HÁBITOS DE LA MENTE

No hay una clara distinción entre una habilidad mental y un hábito mental. Ambos se traslapan y fusionan entre sí. El propósito de este libro es proporcionar la oportunidad de practicar la habilidad mental de la creatividad y desarrollar los hábitos de la mente que hacen que tenga lugar la creatividad.

Supongamos que usted desarrolla el hábito mental de intentar hallar significados alternativos para acrónimos bien conocidos,

Así, cuando ve las iniciales NASA, no piensa únicamente en la North American Space Agency, sino en otras posibilidades:

Not Always Same Astronaut (no siempre el mismo astronauta);

Not Always Same Ascent (no siempre el mismo ascenso);

Not Always Same Ambition (no siempre la misma ambición).

O:

New Adventures Splendid Achievements (nuevas aventuras espléndidos triunfos);

New Ambitions Serious Attainments (nuevas ambiciones serios logros).

Como ocurre con un chiste, la nueva explicación es más poderosa si enlaza con un conocimiento existente, o incluso un prejuicio, sobre la organización.

POSIBILIDAD

Los sistemas educativos subestiman por completo la importancia de la «posibilidad».

Hace dos mil años, China estaba muy por delante de Occidente en ciencia y tecnología. Tenían cohetes y pólvora. De haber continuado al mismo ritmo de progreso, la China de hoy habría sido con toda probabilidad la potencia dominante en el mundo.

¿Qué sucedió? ¿Qué hizo que se detuviera el progreso?

Los eruditos chinos comenzaron a creer que se podía avanzar «de hecho a hecho». Con lo cual nunca desarrollaron la complicada cuestión de la posibilidad (hipótesis, etc.). Como resultado, el progreso terminó en un callejón sin salida.

Exactamente lo mismo está ocurriendo en el mundo hoy día. Debido a la excelencia de los ordenadores, la gente está empezando a creer que todo cuanto se necesita es recopilar datos y analizarlos.

Esto influirá en nuestras decisiones, nuestras políticas y nuestras estrategias. Es una situación extremadamente peligrosa que hará que el progreso se detenga. Se necesita una gran cantidad de creatividad para interpretar los datos de diferentes maneras; para combinar los datos con el fin de diseñar una aportación de valor; para saber dónde buscar los datos; para formar hipótesis y especulaciones, etc.

He ocupado puestos académicos en las universidades de Oxford, Cambridge, Londres y Harvard. Tengo que decir que, en cada una de estas maravillosas instituciones, la cantidad de tiempo empleado en la importancia fundamental de la posibilidad era cero.

Nuestra cultura y nuestros hábitos de pensamiento insisten en que avancemos siempre hacia la certeza. Tenemos que prestar la misma atención a la posibilidad.

La úlcera péptica (de estómago o duodeno) es un grave problema de salud que afecta a muchas personas. Los pacientes solían estar a base de antiácidos durante veinte años o más. Se practicaban importantes operaciones para quitar parte del estómago o su totalidad. Un gran número de camas estaban ocupadas por pacientes bajo tratamiento o diagnóstico de dicho padecimiento. Cientos de personas investigaban este serio trastorno.

Entonces, un joven médico llamado Barry J. Marshall sugirió, en Perth (Australia), que la úlcera péptica podría ser una infección. Todo el mundo se rió de él, porque el ácido hidroclorídrico del estómago mataría sin duda cualquier bacteria. Nadie se tomó en serio la posibilidad. Pero muchos años más tarde, resultó que tenía razón. En lugar de antiácidos durante veinte años y la pérdida de parte o la totalidad del estómago, ¡sencillamente había que tomar antibióticos durante una semana!

La posibilidad es muy importante. Y la posibilidad es la clave de la creatividad.

CÓMO UTILIZAR ESTE LIBRO

No es posible aprender una habilidad si no se practica. No existen los atajos. No hay otro modo de desarrollarla. Y esto es también aplicable a la habilidad creativa.

No hay ninguna fuente mágica de la que podamos beber para volvernos creativos. ¡El equivalente más próximo sería leer este libro!

El uso de la creatividad y la práctica de la creatividad es la mejor manera de desarrollar la habilidad mental y los hábitos mentales del pensamiento creativo.

Si desea llegar a jugar bien al golf, será mejor que practique golpeando la pelota. Si quiere desarrollar la habilidad culinaria, será mejor que entre en la cocina. Si de verdad quiere desarrollar la habilidad de pensar creativamente, será mejor que se tome en serio este libro y siga sus instrucciones con diligencia. Cuanto más practique, más hábil será, como con el golf o la cocina.

Este libro está diseñado para ser sencillo, práctico y utilizable. El tema de la creatividad podría tratarse de un modo muy complicado, pero entonces el libro no tendría valor excepto para los académicos. El libro está, sin embargo, diseñado para todo aquel que quiera ser más creativo y esté dispuesto a disfrutar del proceso.

El libro se estructura en torno a una serie de juegos o ejercicios. Usted puede practicar los juegos por su cuenta, con otras personas, o utilizarlos para practicar un poco de creatividad cada día.

Ejercicios / juegos

La finalidad de los juegos de este libro es proporcionar un adiestramiento en el pensamiento creativo. Las actitudes, hábitos y habilidades del pensamiento creativo se desarrollarán a medida que vaya realizando los ejercicios de una manera sistemática y disciplinada.

Al mismo tiempo, los ejercicios son entretenidos y por eso podemos considerarlos «juegos». Generalmente, uno practicará estos juegos por su cuenta (como con un crucigrama) y obtendrá una sensación de triunfo cuando tenga éxito. También es posible, ocasionalmente, jugar con otras personas y comparar sus resultados.

Se trata, por tanto, de unos ejercicios amenos que se pueden llamar tanto «ejercicios» como «juegos». La intención es adiestrar su mente creativa.

El libro es un terreno de juego. Si hubiese un terreno de juego con una pelota en él, seguramente corretearía por él dándole patadas a la pelota. Ése es el modo en que debería tratar este libro.

Diviértase. Pero se trata de una diversión seria. La creatividad es una habilidad muy seria. A diferencia de muchas otras técnicas, aquí puede divertirse mientras desarrolla esta seria habilidad.

En adelante, todo depende de usted. Lo que consiga con este libro será directamente proporcional al esfuerzo que haga al utilizarlo.

PROBLEMAS Y SITUACIONES

Utilice los problemas y situaciones dadas aun cuando los encuentre difíciles.

Puede también insertar problemas y situaciones de su propia cosecha. Pero no lo haga antes de haber intentado utilizar los problemas que encontrará aquí. De lo contrario, tenderá únicamente a trabajar con problemas fáciles de su propia elección.

LÍMITES DE TIEMPO

Los ejercicios (o juegos) se pueden hacer sin ningún límite de tiempo.

O también puede fijar un tiempo límite. Éste podría ser, para empezar, de cuatro o cinco minutos.

RESPUESTAS CORRECTAS

Con la creatividad no existen las «respuestas correctas».

No hay ninguna respuesta correcta para los ejercicios (juegos). Cualquier respuesta que encaje con los requisitos del ejercicio expuestos será igualmente correcta. Los jugadores, sin embargo, aprenderán a reconocer que en efecto unas respuestas son mejores que otras, porque son más prácticas, o más inusitadas, u ofrecen un valor más elevado.

NOTA: El hecho de que no haya respuestas correctas no significa que sirva cualquier respuesta. La respuesta debe satisfacer los requisitos de los ejercicios.

Si le pidieran que sugiriese un «alimento para el desayuno», no habría una única respuesta correcta. Pero si usted contestase «la caja de cambios de un automóvil», ésta sería desde luego una respuesta errónea.

Si le preguntaran sobre «modos de transporte alternativos» y usted sugiriese «una sartén», también sería sin duda una respuesta equivocada.

Los lectores de este libro desarrollarán unos hábitos mentales creativos y una fluidez en el manejo de ideas, conceptos, percepciones y valores. El acento se pone en la creatividad de «lo que puede ser» más que en la educación habitual sobre «lo que es».

UNO AL DÍA

Muchas personas hacen un poco de ejercicio físico cada día. Algunas van al gimnasio todos los días.

Yo le sugeriría que adquiriera el hábito de hacer al menos uno de los ejercicios cada día.

Igual que con el ejercicio físico, lo importante es ser disciplinado.

1. **Escoja un ejercicio.**
2. **Fije un tiempo límite.**
3. **Haga el ejercicio.**

CÓMO UTILIZAR LAS
PALABRAS ALEATORIAS

El libro entero se basa en Palabras Aleatorias. Así que es importante saber cómo utilizarlas.

Una Palabra Aleatoria está ahí sin razón alguna: es una palabra al azar. Casi todas las palabras son sustantivos porque son más fáciles de usar.

Puede dar con su Palabra Aleatoria de distintas maneras:

1. **Puede tirar un solo dado cuatro veces:**
   - **la primera tirada indica cuál de las seis tablas va a emplear;**
   - **la segunda tirada indica qué columna va a utilizar;**
   - **la tercera tirada indica qué sección de la columna va a usar;**
   - **la cuarta tirada indica qué palabra, de dicha sección, va a utilizar.**

También puede tirar cuatro dados a la vez y or-
denarlos en una secuencia. Puede emplear dados
de color con una secuencia de colores dada.

2. Puede usar los Mapas de Números que encontrará en las páginas 230-231. Con los ojos cerra-
dos, apoye la punta de un lápiz, una cerilla o un
palillo de dientes sobre el mapa. Coja el número
que ha señalado. Si la punta ha caído sobre una
línea divisoria o no ha acertado en el número,
sencillamente vuelva a intentarlo. Haga esto cuatro veces para obtener los cuatro números (número de tabla, número de columna, número de
grupo y número de palabra).

3. Utilice las Tablas de Números Aleatorios que
aparecen en las páginas 234-235. Coja los números por orden y marque los que ya haya utilizado. O, si lo prefiere, tome una secuencia de las
Tablas de Números Aleatorios y simplemente
cambie uno de los números de la secuencia dada.
También puede crear su propia Tabla de Números Aleatorios de antemano para utilizarla cuando quiera.

4. Simplemente invente una secuencia de números.
Todos ellos deben de estar entre el 1 y el 6. Utilice estos números como si le hubieran salido ti-
rando un dado.

5. En la Tabla Preestablecida (pág. 238), las se-
cuencias de números ya vienen dadas. Inserte su

propio número (del 1 al 6) en el espacio vacío para obtener la nueva secuencia.

MUY IMPORTANTE: No siga probando distintas Palabras Aleatorias hasta conseguir una que le guste. Esto destruye todo el sentido de los ejercicios. Debe intentar emplear la primera palabra que obtenga. Sin embargo, si no conoce el significado de una Palabra Aleatoria, ignore dicha palabra y pruebe otra vez, o bien escoja la siguiente palabra hacia abajo.

JUEGOS

JUEGOS

INPUT ALEATORIO

Esto es mucho más que un juego. Es una herramienta creativa seria. Es una de las herramientas básicas del «pensamiento lateral». Esta herramienta fue utilizada por un grupo de talleres para producir 21.000 ideas, en poco más de media tarde, para una empresa siderúrgica.

Es el más simple de los juegos o ejercicios creativos… pero en absoluto el más fácil de utilizar.

PROCESO

1. **Defina claramente su foco. ¿Dónde y por qué desea nuevas palabras creativas? Es importante ser muy claro respecto al foco. Si no sabe a qué está disparando, ¡es bastante improbable que dé en el blanco!**
2. **Obtenga una Palabra Aleatoria de las tablas empleando cualquiera de los métodos indicados en las páginas 25-27.**

3. Utilice la Palabra Aleatoria para estimular nuevas ideas para el foco definido.

NOTA: Es necesario ser disciplinado y estar concentrado. No se trata de enredar y esperar que de alguna manera surja una idea.

LÓGICA

Los lógicos tienden a enfadarse mucho con este método. Si la palabra es aleatoria, cualquier Palabra Aleatoria debería servir. Y, de ser así, cualquier Palabra Aleatoria serviría con cualquier foco. Esto parece una definición «disparada».

Y, sin embargo, en un «sistema de creación de patrones», el proceso desde luego es lógico.

Imagínese que vive en una ciudad pequeña. Cada vez que sale de casa, toma la carretera principal para llegar a su destino. Un día, en las afueras de la ciudad, su coche se avería o tiene un accidente. Por alguna razón, se ve obligado a caminar hasta su casa. Pregunta por ahí por dónde se va, y se encuentra llegando a su casa por una carretera que nunca se le habría ocurrido coger cuando sale de ella.

Si comienza desde la periferia, puede abrir caminos que nunca se le ocurriría abrir desde el centro. La Palabra Aleatoria le deja en la periferia. Cuando piensa en su camino de regreso al foco, abre nuevas ideas.

En 1972, describí el método de *input* por vez primera, junto con otras técnicas de pensamiento lateral, en mi libro *Pensamiento lateral: un manual de creatividad* (Barcelona, Paidós, 1991). Desde entonces, muchos me han copiado la idea.

EMPLEO DEL MÉTODO

1. **No debe buscar ninguna clase de conexión entre la Palabra Aleatoria y el foco. Eso no tiene ningún efecto estimulante. La tarea no es conectar ambos, sino utilizar la Palabra Aleatoria como estimulación.**

2. **No debe reordenar las letras de la Palabra Aleatoria ni utilizarlas como un acrónimo. Tome la palabra tal como es.**

3. **No debe emprender ninguna serie de asociaciones para llegar a una nueva Palabra Aleatoria. No debe decir, por ejemplo: «Barco sugiere mar; mar sugiere navegación; navegación sugiere estrellas... Usemos, pues, la palabra *estrellas*».**

4. **Probablemente, necesitará trabajar con conceptos y valores más que con simples asociaciones.**

5. **Busque, en todo momento, posibilidades, valores y nuevas direcciones. Una vez que ha surgido una posibilidad, sígala.**

6. **Nunca, nunca, nunca diga: «No me gusta esta Palabra Aleatoria, voy a coger otra». Es preciso que se obligue a sí mismo a emplear la Palabra Aleatoria original. De otro modo, estará simplemente esperando una conexión fácil y no estimulará en absoluto nuevas ideas.**

RESULTADOS

Su nueva idea probablemente haga una de estas cosas:

1. Resolver un problema dado.
2. Mejorar o simplificar un proceso.
3. Proporcionar una nueva idea.
4. Abrir toda una dirección nueva.
5. Definir un concepto nuevo.
6. Definir un valor nuevo.

EJEMPLO

La Tarea es: proporcionar una idea nueva para un nuevo restaurante.

La Palabra Aleatoria es: CAPA.
Pensamientos inmediatos:

- **un tema de robo en carretera;**
- **un tema veneciano con imágenes proyectadas de góndolas;**
- **camareros y camareras enmascarados.**

Pensamientos ulteriores:

- **no hay carta. Usted le dice al camarero aproximadamente lo que le apetece. Él, o ella, decide entonces por usted lo que va a tomar;**
- **no puede ver la comida que está comiendo (está tapada). Ya hay restaurantes que sirven los platos totalmente a oscuras;**
- **un restaurante vegetariano, pero la comida está disfrazada de carne;**
- **hay palabras de código que se usan para pedir la comida.**

Está claro que han surgido dos direcciones. La primera es una dirección «temática» asociada con «capa».

La segunda dirección tiene que ver con el concepto «tapado», «enmascarado», «disfrazado» o «escondido».

TAREAS

Aquí tiene cuatro tareas para realizar. Siempre puede definir o insertar una tarea por su cuenta. Ésta puede ser un «problema» o un área en la que desea nuevas ideas.

1. **Ideas nuevas para hacer que un banco sea más atractivo para sus clientes.**
2. **El problema de las pintadas que llenan las paredes de los edificios de una ciudad.**
3. **El problema de los coches que van demasiado rápido por un tramo recto de carretera.**
4. **Nuevas ideas para un periódico.**

SUGERENCIA

Es útil que anote sus ideas. Tal vez incluso podría llevar consigo una libreta en la que registrar sus ideas y sus progresos.

EFECTO DOBLE

Se trata de una variación del Juego 1, aunque requiere mucho más esfuerzo creativo.

Se definen dos focos al mismo tiempo.

Se obtiene una Palabra Aleatoria.

La tarea es ver cómo la Palabra Aleatoria puede proporcionar ideas para cada uno de los focos.

NOTA: Puede ser el mismo concepto que se extrae de la Palabra Aleatoria, para aplicarlo luego a cada uno de los focos. O bien un concepto distinto que se extrae de la Palabra Aleatoria para cada uno de los diferentes focos.

EJEMPLO

Foco 1: «semáforos».
Foco 2: «robo».

La Palabra Aleatoria es: VALOR.
Pensamientos inmediatos:

- **se necesita ver el valor de antemano. De ahí, alguna forma adelantada de saber lo que los semáforos van a hacer después;**
- **alguna forma de hacer que los ladrones sepan de antemano que no hay nada de mucho valor que robar en la casa. Tal vez un certificado de seguro visible.**

Pensamientos ulteriores:

- **los valores dependen de las circunstancias. Así, el comportamiento de los semáforos debería depender de la hora del día y el estado del tráfico;**
- **los bienes no tienen ningún valor para un ladrón si no se pueden revender. De ahí, alguna sustancia que, rociada sobre los objetos, los identifique como robados y así el último vendedor sería juzgado culpable.**

LA QUE NO ENCAJA

Es un ejercicio muy simple. Está relacionado con aquellos que diseñé para niños en la serie de tarjetas Think Link a principios de la década de 1970. (Las tarjetas Think Link, que muestran una palabra o una imagen, se utilizaban de forma aleatoria para estimular ideas.)

PROCESO

1. **Obtenga cuatro Palabras Aleatorias.**
2. **Basándose en algún criterio, muestre que una de las palabras no encaja.**
3. **Defina dicho criterio.**

NOTA: Lo mejor es evitar las razones muy obvias por las que una palabra no encaja.
Estas razones incluirían: el número de letras; comenzar con, o terminar con determinadas letras, etc. Es mejor evitar las razones basadas en la naturaleza física o composición de la palabra.

Ejemplo

Las cuatro Palabras Aleatorias son: PIEL, RESCATE (precio), CHIMPANCÉ y PREOCUPACIÓN.
Pensamientos inmediatos:

- «preocupación» es la única emoción humana entre estas palabras;
- «chimpancé» es la única criatura.

Pensamientos ulteriores:

- «rescate» es la única palabra que implica criminalidad;
- «piel», «rescate» y «preocupación» son las tres desagradables (para algunas personas). «Chimpancé» no lo es.

Variaciones

1. El juego puede jugarse de tal modo que tenga que escoger una segunda palabra distinta en el mismo grupo de Palabras Aleatorias.
2. El juego se puede jugar de tal modo que, en el mismo grupo de Palabras Aleatorias, cada una de las palabras podría ser la que no encaja.

AGRUPAR

Se trata de otro ejercicio simple que proviene de la serie de juegos Think Link publicada a principios de la década de 1970.

De nuevo el proceso creativo implica examinar los conceptos, asociaciones y funciones de cada una de las Palabras Aleatorias obtenidas.

PROCESO

1. **Obtenga seis Palabras Aleatorias.**
2. **Divida las seis Palabras Aleatorias en dos grupos de tres siguiendo algún criterio.**
3. **Explique el criterio seguido para la agrupación.**

NOTA: Como antes, evite agrupar las palabras siguiendo un criterio alfabético, como el número de letras, las letras de principio o final, etc. Intente trabajar con su significado y no con su aspecto físico.

EJEMPLO

Las seis Palabras Aleatorias son: LÁGRIMAS, NOCHE, PREJUICIO, ESPINACA, ÁNGULO y PIJAMA.

Pensamientos inmediatos:

- «prejuicio», «noche» y «lágrimas» son de naturaleza oscura y las otras no;
- «ángulo», «lágrimas» y «prejuicio» son todas ellas formas de mirar algo.

Pensamientos ulteriores:

- «prejuicio», «espinaca» y «lágrimas» pueden las tres ser complicadas. Las otras no.

Variaciones

1. Utilice las mismas Palabras Aleatorias pero intente obtener distintas agrupaciones basándose en diferentes criterios.
2. Utilice cuatro u ocho palabras para empezar.
3. Divida las Palabras Aleatorias (seis o más) en tres grupos siguiendo algún criterio.

EMPAREJAR

Otro ejercicio simple de la serie Think Link.

Aunque parezca muy sencillo, hay veces en que este ejercicio requerirá mucho pensamiento creativo; ir más allá de lo obvio.

PROCESO

1. Obtenga dos listas de cuatro Palabras Aleatorias cada una, que denominará Lista A y Lista B.
2. Con arreglo a algún criterio, empareje una palabra de la Lista A con una palabra de la Lista B.
3. Defina el criterio seguido para el emparejamiento.

NOTA: Como antes, evite las simples apariencias, número de letras, etc.

Ejemplo

Lista A: TOSTADA, PROFETA, CHIP y COLA.

Lista B: PISTA DE ATERRIZAJE, FÓRMULA, PIRULÍ y PIRÁMIDE.

Pensamientos inmediatos:

- «tostada» y «pirulí» son comestibles;
- «profeta» y «pirámide» pertenecen a antiguas culturas;
- «cola» y «pista de aterrizaje» tienen que ver con aeroplanos;
- «chip» y «fórmula» requieren matemáticas.

Pensamientos ulteriores:

- «tostada» y «pirámide» pueden tener la misma forma;
- «chip» y «pirulí» son muy apreciados por los niños;
- «cola» y «fórmula» pueden ser muy largas;
- «profeta» y «pista de aterrizaje» sugieren la idea de partir hacia el futuro.

Variaciones

1. Intente distintos emparejamientos (como en el ejemplo anterior).
2. Varias palabras de la Lista A pueden emparejarse con una palabra de la Lista B y viceversa. No necesariamente ha de haber una palabra de la Lista B emparejada con otra de la Lista A.
3. Introduzca una Palabra Aleatoria más en la Lista A.

RELACIONAR

El propósito aquí es hallar una conexión. Este ejercicio es bastante distinto de los anteriores, donde el énfasis estaba más en encontrar algo en común.

¿Cuál es la relación entre las dos Palabras Aleatorias?

Puede incluso haber una palabra intermedia que relacione las dos.

PROCESO

1. **Obtenga una lista de cinco Palabras Aleatorias.**
2. **Obtenga una Palabra Aleatoria más.**
3. **Intente relacionar la Palabra Aleatoria aislada con cada una de las cinco Palabras Aleatorias originales.**

EJEMPLO

Las cinco Palabras Aleatorias son: CORCHO, PO-LÍTICO, MENÚ, JAMÓN y PODER.
La Palabra Aleatoria aislada es: DOCTRINA.
Pensamientos inmediatos:

- una doctrina embotella cosas y lo mismo hace un corcho;
- los políticos siempre tienen sus propias doctrinas;
- una doctrina tiene un menú de creencias y valores;
- algunas doctrinas prohíben comer jamón;
- las doctrinas se pueden usar como base para el poder.

Pensamientos ulteriores:

- algunas doctrinas prohíben beber alcohol («corcho»);
- los políticos tratan de hacer uso de las doctrinas religiosas;
- las doctrinas pueden condicionar el menú de un restaurante;
- las doctrinas, como el jamón, se pueden seccionar en lonchas finas;
- las doctrinas hacen uso del poder de la fe.

VARIACIONES

1. Mantenga las mismas cinco Palabras Aleatorias pero obtenga una Palabra Aleatoria nueva e intente relacionar como antes.

2. Pruebe criterios alternativos para las relaciones en el grupo de Palabras Aleatorias original.

Juego 7

COMBINAR

El propósito aquí es combinar dos cosas distintas para aportar un nuevo valor.

La efectividad de la combinación se evalúa por el hecho de si puede aportar valor como negocio y conseguir beneficios. Una idea que parezca interesante pero no sirva para formar la base de un negocio no tiene valor en este ejercicio.

Proceso

1. **Obtenga dos Palabras Aleatorias.**
2. **Intente combinar las dos Palabras Aleatorias para crear un nuevo negocio. Trate de combinar las palabras lo más directamente posible, en lugar de tomar simplemente algún aspecto de las mismas.**
3. **Muestre cómo funcionaría el nuevo negocio y por qué se podría esperar que obtenga beneficios.**

NOTA: El acento aquí está en la combinación directa de las dos palabras y no en tomar una idea de una de ellas y aplicarla a la otra (como en algunos ejercicios anteriores).

Ejemplo

Las Palabras Aleatorias son: MUELLE (de puerto) y CABAÑA.

Pensamientos inmediatos:

- parques especiales donde las cabañas itinerantes (vehículos casa) puedan aparcar muy fácil y cómodamente.

Pensamientos ulteriores:

- creación de muelles especiales para la casa («cabaña»). Serían unos lugares donde se podrían guardar cosas diversas como cámaras, ordenadores, maletines, etc. Venta de estos «muelles» especialmente diseñados.

Variaciones

1. En lugar de hacer un negocio lucrativo, combinando las palabras, puede crear algo que proporcione beneficio a la gente o al entorno, aun cuando no genere ganancias como negocio.

2. Obtenga una tercera palabra y vea si se puede añadir a la combinación existente o si podría cambiar la combinación.

MEJORA

La mejora podría estar en la dirección de la simplificación, mayor conveniencia, costes reducidos, etc. Mejora puede también significar hacer las cosas de una manera más rápida. Hay muchas direcciones para la mejora.

A veces la mejora significa resolver problemas, grandes o pequeños, que pudieran existir. Pero la mejora también puede tener lugar allí donde no hay problemas evidentes.

PROCESOS

1. **Obtenga una Palabra Aleatoria. Ésta es la palabra base.**
2. **Obtenga una segunda Palabra Aleatoria.**
3. **Intente mostrar cómo se puede emplear la segunda Palabra Aleatoria para mejorar el proceso, función o naturaleza de la primera Palabra Aleatoria.**

4. Demuestre cómo funcionaría la mejora y por qué sería factible.

NOTA: Intente utilizar la primera Palabra Aleatoria que obtenga aunque le parezca difícil. Si es imposible, obtenga otra Palabra Aleatoria. Pero no se limite a esperar una mejora fácil.

EJEMPLO

La primera Palabra Aleatoria es: MICROONDAS.
La segunda Palabra Aleatoria es: CALZADOR.
Pensamientos inmediatos:

- un objeto de plástico con forma de algo similar a un calzador para sacar los platos calientes de un microondas.

Pensamientos ulteriores:

- alguna forma de poner zapatos húmedos en el microondas para secarlos.

VARIACIONES

1. Invierta el orden. Utilice la primera palabra para mejorar la función de la segunda palabra.
2. Pruebe una segunda Palabra Aleatoria y vea si obtiene ideas muy diferentes.

VALOR

Los valores son esenciales para todo comportamiento. Hay muchas clases distintas de valores. Los valores difieren en función de la circunstancia y de una persona a otra.

La finalidad de este ejercicio es escoger y evaluar valores. Los valores son a menudo subjetivos, por lo que su evaluación es tan válida como la de cualquier otro. Puede que haya un valor especial para usted sólo. Éste es un valor válido. Por eso el pensamiento creativo es importante incluso en esta aparente situación de juicio.

PROCESO

1. **Obtenga cinco Palabras Aleatorias.**
2. **Defina el valor base que esté utilizando. Aquí ofrecemos algunos valores base. Puede añadirles lo que desee:**
   Lo más caro

Lo más útil
Lo más peligroso
Lo más atractivo
Lo más duradero
Lo más barato

3. Escoja una de las Palabras Aleatorias como la que más valor tiene basándose en el criterio que ha elegido.
4. Explique su elección.

NOTA: Los valores dependen de las circunstancias. Es posible que, en una circunstancia muy especial (por ejemplo, alguien ahogándose), una palabra pueda tener un valor particular. Para este ejercicio, excluya circunstancias especiales y piense sólo en circunstancias normales.

EJEMPLO

Las cinco Palabras Aleatorias son: GORRA, GRA-DUADO, CRÍTICO, HORMIGÓN y ALGAS.

Pensamientos inmediatos:

- lo más caro: graduado;
- lo más útil: hormigón;
- lo más peligroso: crítico;

- lo más barato: algas;
- lo más duradero: hormigón.

Pensamientos ulteriores:

- lo más útil, personalmente: gorra;
- lo más atractivo: gorra;
- la que más potencial tiene: algas.

VARIACIONES

1. Escoja algunos valores base y luego puntúe cada Palabra Aleatoria del uno al cinco.
2. Escoja algún criterio y después ordene todas las Palabras Aleatorias siguiendo dicho criterio: primera, segunda, tercera, etc.

RELACIONES MÚLTIPLES

La respuesta o idea obvia normalmente bloquea cualquier idea ulterior. En este ejercicio, el énfasis está en ir más allá de lo obvio.

Puede que haya una relación obvia, pero aquí se le invita a ir más allá de ella y generar tantas relaciones como pueda.

Es otro ejercicio de la serie Think Link.

PROCESO

1. **Obtenga dos Palabras Aleatorias.**
2. **Vea de cuántas formas puede establecer una relación entre las dos Palabras Aleatorias.**
3. **Defina claramente los criterios para cada relación.**

**NOTA: Como en los otros casos, evite las seme-
janzas simples basadas en las letras, composición,
etc.**

EJEMPLO

La primera Palabra Aleatoria es: ESCRITORIO.
La segunda Palabra Aleatoria es: PANTALÓN COR-
TO.
Pensamientos inmediatos:

* ambos son funcionales y sirven a un tipo de actividad como los negocios y los deportes;
* ambas deberían estar hechas para la libertad de
acción;
* los escritorios tienen «huecos para las rodillas» y
el pantalón corto deja expuestas las rodillas.

Pensamientos ulteriores:

* ambos son «expectativas». Se supone que uno
trabaja en un despacho. Se espera que uno lleve
pantalón corto para ciertas actividades;
* ambos eran, tradicionalmente, objetos asociados
a los varones. Pero ya no es así.

Variaciones

1. **Clasifique cada una de sus relaciones como «débil» o «fuerte».**

2. **Encuentre circunstancias concretas donde puedan aplicarse las nuevas relaciones.**

PUENTE

Se trata de otro ejercicio de «relaciones». ¿Cómo se pasa de una palabra a otra? También lo puede hacer basándose en algo en común, algún concepto compartido o alguna semejanza. El ejercicio es similar al juego de Emparejar Conceptos de la serie Think Link.

La tarea es tender un «puente» entre dos extremos escogidos.

PROCESO

1. **Obtenga cinco Palabras Aleatorias.**
2. **De estas cinco Palabras Aleatorias, seleccione dos. Estas dos palabras van a formar los dos extremos del puente.**
3. **Ahora disponga las tres palabras restantes para formar el puente. Cada palabra debe relacionarse con la palabra que hay a cada extremo del mis-**

mo, de modo que pueda avanzar sin interrupciones de un extremo al otro del puente.

4. Describa claramente el criterio en que se basa para cada enlace del puente. ¿Por qué esta palabra conduce a la siguiente?

NOTA: Está usted escogiendo las palabras-extremos (del puente) y también el orden de las palabras de enlace. Tal vez necesite experimentar para conseguir un puente tan sólido como sea posible.

EJEMPLO

Las cinco Palabras Aleatorias son: PANTALONES, CONTRASEÑA, COMITÉ, ASPIRINA y ATAÚD.

Pensamientos inmediatos:

- elección de los extremos del puente: «aspirina» y «ataúd»;
- de «aspirina» a «comité»: tienen que ver con dolores de cabeza;
- de «comité» a «pantalones»: normalmente de predominio masculino;
- de «pantalones» a «contraseña»: reconocimiento entre varones;

- de «contraseña» a «ataúd»: la muerte da a todos la contraseña para la otra vida.

Pensamientos ulteriores:

- extremos del puente: «comité» y «aspirina»;
- de «comité» a «ataúd»: muchos pesos muertos en un comité;
- de «ataúd» a «pantalones»: la necesidad de taparse;
- de «pantalones» a «contraseña»: empleo de ventanas especiales;
- de «contraseña» a «aspirina»: para desencadenar respuestas inflamatorias.

VARIACIONES

1. Utilice el mismo grupo de Palabras Aleatorias pero pruebe distintos extremos para el puente.
2. Escoja palabras para los extremos de entre el grupo original y, luego, obtenga tres nuevas Palabras Aleatorias para formar el puente entre las palabras-extremos.
3. Pruebe con seis o siete Palabras Aleatorias.

ENSARTAR

Este ejercicio es semejante, en muchos sentidos, al juego del puente, pero es más difícil porque el tipo de conexión está fijado de antemano.

El enlace de una Palabra Aleatoria con la siguiente tiene que ser del tipo que se defina antes de que comience el juego.

Posibles tipos de enlace o relación:

Conceptos
Funciones
Valores
Asociaciones
Utilidad

Proceso

1. **Defina el tipo de enlace que se va a utilizar.**
2. **Obtenga cinco Palabras Aleatorias.**

3. Disponga las palabras en una «cuerda», de modo que cada palabra, desde la primera, conduzca a la siguiente y así hasta la última.

Ejemplo

Tipo de enlace elegido: Conceptos.
Las cinco Palabras Aleatorias son: RED, TAZA, SANDALIAS, JAMÓN y ALUMINIO.
Pensamientos inmediatos:

- **comience con «aluminio» y, con el concepto de «soporte estructural», avance a «sandalias»;**
- **de «sandalias», utilizando el concepto de «comodidad humana», pase a «taza»;**
- **tome el concepto funcional de «recipiente» y pase de «taza» a «red»;**
- **«red», como en red para pescar, está destinada a ayudar a los humanos a alimentarse. Con este concepto, pasamos a «jamón».**

Pensamientos ulteriores:

- **comience con «jamón» y pase, con el concepto de «diseño humano», a «sandalias»;**
- **desde «sandalias», tomamos el concepto de «diseño abierto» y pasamos a «red»;**

- utilizando el concepto de «una estructura de tensión», pase de «red» a «aluminio»;
- de «aluminio», tomamos el concepto de «ligero y fuerte» para pasar a «taza».

Variaciones

1. Pruebe el mismo grupo de palabras con distintos tipos de enlace.
2. Alterne los tipos de enlace. Establezca un orden de tipos de enlace y luego siga dicho orden.

JUEGO 13

ARGUMENTO

Este ejercicio también está tomado de la serie Think Link. Es bastante distinto de los juegos anteriores y requiere un tipo diferente de creatividad. Se trata de «creatividad constructiva», a diferencia de «creatividad perceptiva».

PROCESO

1. **Obtenga cuatro Palabras Aleatorias.**
2. **Cree una historia utilizando las Palabras Aleatorias en cualquier orden que desee para adaptarse a la historia que quiere contar.**

NOTA: La historia debería tener mayor interés que limitarse a decir: «Fue a comprar y compró esto y aquello y aquello otro...». O: «Estaba viajando en un autobús y vio esto y aquello y aquello otro...».

EJEMPLO

Las cuatro Palabras Aleatorias son: PATRULLA, AVISPA, LAZO y DROGA.
Pensamientos inmediatos:

- una patrulla había salido a atrapar a unas personas que se creía que habían pasado drogas de contrabando a través de la frontera. Estaban persiguiendo a un hombre y a punto de darle caza con un lazo, cuando una avispa picó en la mano al agente que manejaba el lazo. Como resultado, éste atrapó a un miembro de la patrulla y el contrabandista escapó.

Pensamientos ulteriores:

- el jefe de policía dijo: «No se sale a cazar una avispa con un lazo. Tratar de atrapar a unos trafi-

cantes de droga con una patrulla es igual de inútil. Es necesario infiltrarse en su red».

VARIACIONES

1. Utilice las Palabras Aleatorias en el orden en que
   han sido obtenidas. Debe contar la historia con
   esta secuencia fija. No puede escoger su propia
   secuencia.
2. Emplee cinco, seis o siete Palabras Aleatorias.
3. Obtenga cinco Palabras Aleatorias y, luego, elija
   una para excluirla y no utilizarla. Así terminará
   empleando cuatro palabras para la historia y habrá descartado una que puede que no encaje.

HISTORIA OBLIGADA

En el ejercicio anterior ha podido ver todas las Palabras Aleatorias antes de comenzar la historia, y adaptar así su relato. En este ejercicio, solamente verá las Palabras Aleatorias a medida que las obtenga y debe comenzar su historia sin saber lo que viene después.

PROCESO

1. Obtenga la Palabra Aleatoria.
2. Comience la historia cuando haya obtenido las dos primeras Palabras Aleatorias.
3. Obtenga la tercera Palabra Aleatoria y continúe la historia.
4. Haga lo mismo con la cuarta y la quinta Palabra Aleatoria.

NOTA: El argumento debe tener alguna sustancia y no ser simplemente una retahíla de «y» seguido de «y», etc.

EJEMPLO

Las dos primeras Palabras Aleatorias son: HERRA-DURA y FUNERAL.

Pensamientos inmediatos:

- **había un funeral y el caballo tiraba del carruaje fúnebre que transportaba el ataúd. El caballo tropezó y una herradura se desprendió de su pata.**

Siguiente Palabra Aleatoria: ENSALADA.

- **la herradura salió despedida y cayó en la ensalada de un hombre que estaba comiendo en la terraza de un café.**

Siguiente Palabra Aleatoria: LENTEJA.

- **la compañera del hombre le dijo a éste: «Me alegro de que no aterrizara en mi puré de lentejas, o nos habría salpicado».**

Siguiente Palabra Aleatoria: SARPULLIDO.

- **él le dijo a ella: «Quién sabe, a lo mejor el puré te habría curado ese sarpullido que tienes en los brazos. Los descubrimientos científicos a veces suceden de esa manera».**

Ya no hay más pensamientos, porque ya conocemos la secuencia.

Variaciones

1. **Obtenga seis Palabras Aleatorias, dos cada vez. Escoja el orden en que va a utilizar cada una de las dos palabras.**
2. **Después de obtener las dos primeras Palabras Aleatorias, obtenga otras dos Palabras Aleatorias para cada una de las tres etapas siguientes. Utilice sólo una de las dos cada vez y descarte la otra.**

RESOLUCIÓN DE PROBLEMAS

Muchas personas creen que el pensamiento creativo sólo sirve para resolver problemas. Esto es un error, porque el pensamiento creativo puede producir grandes cambios en cosas que jamás fueron problemas.

No obstante, una de las tareas del pensamiento creativo es, en efecto, la resolución de problemas.

Este ejercicio también es de la serie Think Link.

Proceso

1. **Defina el problema que se va a resolver. Puede ser un problema general o un problema específico. A continuación exponemos algunos problemas. Aun así, le animamos a utilizar sus propios problemas, pero no antes de que haya practicado con los que le hemos ofrecido aquí:**
   - **robos en el interior de los coches en los aparcamientos;**

- un chico se ha caído al río;
- robos en un supermercado;
- congestión del tráfico en las ciudades;
- jóvenes que beben demasiado alcohol.

2. Obtenga cuatro Palabras Aleatorias.
3. Muestre de qué manera el objeto indicado en una de las cuatro Palabras Aleatorias podría ayudar a resolver el problema.

> **NOTA:** En este ejercicio debe intentar utilizar el objeto designado por la Palabra Aleatoria. Debe emplear el objeto directamente y no utilizar ideas estimuladas por él.

EJEMPLO

Problema: una ciudad costera tiene dificultades para atraer turistas.

Las cuatro Palabras Aleatorias son: TRACTOR, FÁBULA, CORDURA y ESTADOS UNIDOS.

Pensamientos inmediatos:

- **anunciarse con profusión en los Estados Unidos (a menos que la ciudad se halle precisamente en este país).**

Pensamientos ulteriores:

- crear una fábula para la ciudad o el área y hacer que aparezca en libros, historias infantiles, películas, etc.

VARIACIONES

1. Utilice sólo dos Palabras Aleatorias para obligase a ser más creativo.
2. Muestre cómo más de una de las Palabras Aleatorias podrían ayudar a resolver el problema (con las cuatro Palabras Aleatorias del juego estándar).

JUEGO 16

IDEAS PARA RESOLVER PROBLEMAS

Este ejercicio es semejante al juego anterior. Pero hay una diferencia clave. En el Juego 15 se le pedía que utilizase el objeto indicado por la Palabra Aleatoria para resolver el problema.

En este ejercicio usted obtiene una idea de la Palabra Aleatoria y, luego, expone de qué manera esta idea puede ayudar a resolver el problema. Este uso es muy similar al que se muestra en el Juego 1.

PROCESO

1. **Defina el problema. Puede utilizar uno de los problemas que aparecen en el Juego 15. También puede insertar un problema propio.**
2. **Obtenga una sola Palabra Aleatoria.**
3. **Vea cómo esta Palabra Aleatoria puede producir ideas que podrían ayudar a resolver el problema definido.**

> **NOTA: Se pueden tomar ideas, conceptos o conceptos amplios de la Palabra Aleatoria y aplicarlos a la situación problemática.**

Ejemplo

Problema definido: una ciudad costera quiere atraer más turistas. ¿Qué se puede hacer?

La Palabra Aleatoria es: ALEGRÍA.

Pensamientos inmediatos:

- **organizar un «festival de la felicidad» una vez al año. Dar alojamiento gratis o subvencionado a personas que puedan probar que son realmente felices. Conceder medallas o premios a personas que sean felices.**

Pensamientos ulteriores:

- **montar una escuela de payasos. Emplear payasos en restaurantes, hoteles, etc. Celebrar un congreso anual de payasos.**

Variaciones

1. **Obtenga dos Palabras Aleatorias. Escoja una de
    ellas para usarla y descarte la otra.**
2. **Obtenga dos Palabras Aleatorias. Utilice las dos.**

LISTAS

El énfasis aquí está en encontrar semejanzas. ¿Qué tienen en común cosas aparentemente distintas?

PROCESO

1. **Obtenga tres Palabras Aleatorias. Cada una de estas palabras encabezará ahora una lista.**
2. **Obtenga más Palabras Aleatorias, una cada vez. Cada palabra obtenida debe colocarse en una de las tres listas ya establecidas.**
3. **Cada vez que coloque una palabra en una lista, tendrá que justificar la razón de haber tomado dicha decisión.**
4. **Si una nueva Palabra Aleatoria no se puede colocar en la lista, la palabra se descarta.**
5. **El juego termina cuando se han descartado tres Palabras Aleatorias.**

NOTA: Se puede emplear cualquier criterio para relacionar una Palabra Aleatoria con la palabra que encabeza una lista.

Ejemplo

Las tres Palabras Aleatorias son: MOSTAZA (Lista A), ORDENADOR (Lista B) y CAÍDA (Lista C).
Primera nueva Palabra Aleatoria: REFUGIADO.

- «refugiado» se añade a la Lista C, porque es el resultado de un desastre o un problema y, por tanto, se relaciona con «caída».

Segunda nueva Palabra Aleatoria: DIVORCIO.

- «divorcio» también se añade a la Lista C, porque es una caída de la felicidad del matrimonio.

Tercera nueva Palabra Aleatoria: MANILLA DE PUERTA.

- «manilla de puerta» se coloca en la Lista B, porque es un medio de abrir cosas, igual que un ordenador.

Cuarta nueva Palabra Aleatoria: SUJETADOR.

- «sujetador» se coloca en la Lista A, porque la mostaza se emplea para hacer la comida más atractiva y un sujetador se usa también para hacer las formas más atractivas.

Quinta nueva Palabra Aleatoria: JURADO.

- «jurado» se añade a la Lista C, porque un jurado se utiliza para juzgar a alguien que ha caído en desgracia para la sociedad.

Sexta nueva Palabra Aleatoria: CARBÓN.

- «carbón» se coloca en la Lista A, porque tiene que ver con calor y mostaza tiene que ver con sabor caliente (picante).

Séptima nueva Palabra Aleatoria: PULGA.

- esta palabra se podría descartar, o podría añadirse a la Lista A, porque una pulga es algo irritante y la mostaza es también algo irritante.

El proceso podría continuar.

VARIACIONES

1. Disponga más de tres encabezamientos.
2. Ponga una misma palabra debajo de más de un encabezamiento. Deberá explicar las razones de su decisión.
3. Tenga una lista de descarte. El juego continúa hasta que la lista de descarte tenga más palabras que la lista más larga.

JUEGO 18

PROGRESIÓN

Con este ejercicio volvemos a la «creatividad constructiva».

El ejercicio sirve también para «desarrollar» una organización.

PROCESO

1. **Obtenga dos Palabras Aleatorias. Combínelas para formar un negocio rentable o cualquier otro tipo de organización con un propósito definido.**
2. **Obtenga otra Palabra Aleatoria más. Esta nueva palabra se utilizará para desarrollar o aumentar la organización existente.**
3. **Obtenga dos Palabras Aleatorias más, una cada vez. En cada caso, muestre de qué manera esa palabra podría ayudar a desarrollar la organización existente.**

NOTA: Tanto el uso en sí del objeto designado por la Palabra Aleatoria como los conceptos obtenidos de dicha Palabra Aleatoria son aceptables.

Ejemplo

Las dos primeras Palabras Aleatorias son: PALA y HOBBY.

Pensamientos inmediatos:

- muchas personas hacen bricolaje tanto por necesidad como por afición. Cree un negocio para emplear a dichas personas y ofrezca un servicio a los propietarios de casas tanto para el interior de la casa como para el jardín («pala»).

Nueva Palabra Aleatoria: TELAR.

- «telar» sugiere tejido y tela, de modo que podemos añadir un servicio para hacer cortinas, manteles, etc.

Nueva Palabra Aleatoria: CLAXON.

- «claxon» sugiere un ruido, como el claxon de un coche. Así que añada al servicio formas de aislar las casas contra el ruido del tráfico y otros ruidos.

Nueva Palabra Aleatoria: AYUDA.

- «ayuda» sugiere que el nuevo servicio no sólo hace cosas sino que también ayudaría y enseñaría a la gente a hacer cosas por sí mismos.

VARIACIONES

1. Descarte una Palabra Aleatoria y escoja otra.
2. Obtenga dos Palabras Aleatorias cada vez, pero emplee sólo una. Escoja así la palabra que sea de más ayuda.

PISTAS

Este ejercicio trabaja la «creatividad constructiva» al servicio de la ficción.

Se ha cometido un asesinato y se dan algunas pistas. ¿Qué hipótesis puede usted construir a partir de dichas pistas?

PROCESO

1. **Obtenga dos Palabras Aleatorias.**
2. **Utilice las dos Palabras Aleatorias para crear la escena, marco o historia de un asesinato. Sin embargo, no debe desvelar cómo tuvo lugar el asesinato ni quién lo cometió.**
3. **Obtenga tres Palabras Aleatorias más. Serán las pistas.**
4. **Utilice las pistas para construir una hipótesis razonable de cómo tuvo lugar el asesinato e incluso quién podría haberlo cometido.**

NOTA: Tal vez necesite emplear las Palabras Aleatorias con un margen bastante amplio con el fin de construir una buena historia.

E<small>JEMPLO</small>

Las dos primeras Palabras Aleatorias son: TIGRE y MANCHA.

- un hombre ha sido hallado muerto en un parque zoológico, fuera de la jaula del tigre. Había una extraña mancha verde en la parte delantera de su camisa.

Las Pistas son: RINOCERONTE, MAÍZ y POLLO. Pensamientos:

- **Se disponía a dar maíz a los pollos cuando fue embestido por un rinoceronte que se había escapado. La causa de la mancha verde fue un bolígrafo de este color, que quedó aplastado dentro de su bolsillo.**

APOYO PARA UNA IDEA

En este ejercicio, el esfuerzo creativo se dedicará a ver cómo el *input* aleatorio puede afectar a una idea, bien sea positiva o negativamente.

PROCESO

1. **Se plantea una idea, sugerencia o modificación. Ésta se ha de definir con claridad. Aquí hay una lista de posibles sugerencias. También puede incluir las suyas propias:**
   - **aplicar el impuesto de carretera directamente, tanto por kilómetro;**
   - **terminar la enseñanza obligatoria a los 14 años;**
   - **abolir las universidades;**
   - **dos ministros por cada departamento del gobierno: un ministro de continuidad y un ministro de cambio;**

- que las mujeres les propongan matrimonio a los hombres.
2. Obtenga Palabras Aleatorias; una cada vez.
3. Muestre, con cada Palabra Aleatoria obtenida, cómo ésta afectará a la idea o sugerencia. El efecto puede ser positivo o negativo. El efecto puede ser directo o indirecto.

NOTA: No es su intención rebatir la idea ni imponerla a la fuerza. Lo que se necesita es un enfoque objetivo de la idea.

EJEMPLO

La idea sugerida es: «Aumentar la edad de las personas para el cobro de pensiones». A la mayoría de los gobiernos les está resultando difícil sufragar las pensiones, debido a que la proporción de personas jóvenes y ancianas está cambiando.

Primera Palabra Aleatoria: VALLE.

- un valle sugiere un hoyo en la línea que atraviesa un gráfico. La idea sería elevar la edad para las pensiones, pero crear una provisión mejor para aquellos que están en un «hoyo» (enfermos o discapacitados).

Segunda Palabra Aleatoria: JARDÍN.

- puede que haya tipos de trabajo que a las personas ancianas les gustase hacer, como la jardinería. Habría una manera especial de emplear a las personas mayores en lugar de darles pensiones.

Tercera Palabra Aleatoria: PERLA.

- una perla es algo insólito y especial. Siempre hay personas especiales que poseen talento y motivación. Pero no todo el mundo es tan especial. Tendrá que ver de qué modo el elevar la edad para las pensiones afectará a la mayoría de las personas, no sólo a las especiales.

Cuarta Palabra Aleatoria: LAZO.

- un lazo va siempre dirigido a un solo animal. Así, quizá se podrían asignar pensiones especiales a determinados individuos. Esto debería hacerse por elección o dependiendo de las circunstancias. No es preciso que rija la misma norma para todos.

Variaciones

1. Utilice una Palabra Aleatoria al principio para sugerir el tema.
2. Obtenga dos Palabras Aleatorias cada vez. Elija una de ellas y descarte la otra.
3. Decida de antemano si va a emplear cada Palabra Aleatoria para reforzar la idea o para debilitarla.

ESCRIBIR UNA NOVELA

Se trata de otro ejercicio que implica «creatividad constructiva». Esta vez está al servicio de la ficción.

Observe que el uso de Palabras Aleatorias en este ejercicio está muy estructurado y se espera que siga la estructura dada.

El propósito del ejercicio es establecer la estructura de una novela. Esto significa la estructura general y no los detalles.

PROCESO

1. **Obtenga cuatro Palabras Aleatorias, una cada vez. Debe utilizar cada Palabra Aleatoria a medida que la obtiene y no esperar hasta que todas estén disponibles.**
2. **La primera Palabra Aleatoria indica el marco o escenario general de la novela.**

3. La segunda Palabra Aleatoria sugiere los diversos personajes de la novela.
4. La tercera Palabra Aleatoria sugiere el argumento de la novela.
5. La cuarta Palabra Aleatoria proporcionará el desenlace o final de la novela.

NOTA: Cada Palabra Aleatoria debe emplearse, una por una, tan pronto como se obtiene.

EJEMPLO

Primera Palabra Aleatoria (marco): SERENATA.

- **sugiere una situación romántica. Un joven, de vacaciones en España, se enamora de una bella muchacha del pueblo.**

Segunda Palabra Aleatoria (personajes): COSTILLA.

- **la muchacha es la hija del carnicero local. Es una gran familia con tías, tíos, etc. (muchas costillas).**

Tercera Palabra Aleatoria (argumento): ASIENTO.

- **el joven ha visto siempre a la chica sentada, en un restaurante o un café. Un día ella se levanta y es una cabeza más alta que él.**

Cuarta Palabra Aleatoria (desenlace): JARRÓN.

- él le dice a ella que no es el jarrón lo que importa sino lo que uno pone dentro. Es decir, que no es su tamaño lo que importa sino su corazón y su espíritu. Se casan y viven felices para siempre.

VARIACIONES

1. Obtenga las cuatro Palabras Aleatorias a la vez. Después decida cuál va a utilizar para cada fase (marco, personajes, etc.).
2. En cada paso del juego, en lugar de obtener una Palabra Aleatoria, obtenga dos palabras y escoja la que va a utilizar.
3. Para el desenlace final, obtenga dos Palabras Aleatorias. Después invente dos desenlaces distintos para la novela, uno para cada una de las dos Palabras Aleatorias.

CENTRAL

Con este ejercicio volvemos a la «creatividad perceptiva». Tiene que ver las cosas de diferentes maneras.

Necesitará ser capaz de percibir una amplia gama de relaciones, semejanzas, etc.

PROCESO

1. **Obtenga cinco Palabras Aleatorias. Visualícelas todas juntas.**
2. **Escoja de entre estas cinco aquella que le parezca la más «central».**
3. **Relacione las otras cuatro Palabras Aleatorias con la que ha escogido como palabra central.**
4. **Explique en cada caso la naturaleza de la relación.**

EJEMPLO

Las cinco Palabras Aleatorias son: BESO, CASETA DE PERRO, JUDÍAS, VENGANZA y GUERRA.

Pensamientos inmediatos:

- **se escoge «caseta de perro» como palabra central;**
- **las judías vienen en latas. Las latas son un tipo de recipiente o caseta para las judías;**
- **con la guerra, la gente y las naciones se ven atrapadas o contenidas dentro de la historia de sus emociones;**
- **un beso es una invitación a alguien a que venga a compartir tu caseta (aunque más adelante);**
- **con la venganza, una persona se halla contenido dentro de una percepción de la historia y sus emociones. Puede que sea difícil salir de ella.**

Pensamientos ulteriores:

- **«judías» es la palabra central;**
- **la guerra tiene que ver a menudo con la comida, el petróleo y las necesidades de la vida. «Judías» simboliza comida, etc.;**
- **«caseta de perro» es la parte cómoda de la vida de un perro, así como las judías son un alimento reconfortante;**

- un beso es cálido y reconfortante, algo que uno desea, como las judías;
- la venganza es algo suyo y cada mañana se despierta con ella, como también podría desayunar judías cada mañana.

VARIACIONES

1. Intente que cada una de las Palabras Aleatorias, pase a ser la palabra central, y después relacione con ella las demás palabras.
2. Obtenga seis Palabras Aleatorias y descarte una antes de proseguir.

DIFERENTE

En este otro ejercicio se le pide que vaya más allá de lo obvio. Esto, por supuesto, es un elemento clave de la motivación creativa. Hay que hacer un esfuerzo para ir más allá de lo obvio.

PROCESO

1. **Obtenga cinco Palabras Aleatorias y póngalas en una lista.**
2. **Dé la respuesta más inmediata a cada una de las Palabras Aleatorias, ya sea una asociación, un concepto, etc.**
3. **Ahora vuelva a la lista y dé una respuesta a cada una de las Palabras Aleatorias que sea claramente distinta de la primera.**

NOTA: En todos los casos, las respuestas deben ser lógicas y razonables, y no simplemente arbitrarias.

EJEMPLO

Palabra Aleatoria	Primera respuesta	Segunda respuesta
MARINERO	navío	chicas en puertos
DESMAYO	colapso	sonido débil
BANQUETE	celebración	glotonería
ARPA	ángeles	dar la tabarra
PELEA	agresión	espíritu alegre

VARIACIONES

1. Intente conseguir tres o incluso cuatro respuestas distintas para la misma Palabra Aleatoria.
2. Evite los dobles sentidos convencionales de una misma palabra. (Un palabra tiene un doble sentido cuando tiene dos significados posibles, como «doncella», que significa sirvienta o mujer joven y virgen.)
3. Clasifique sus propias variaciones como «diferentes» o «muy diferentes».

JUEGO 24

ÚTIL

Este ejercicio implica el uso de la creatividad en la percepción y el valor. Al final tiene que haber un valor real que le afecte directamente como persona. Ésa es la mejor prueba de valor.

PROCESO

1. **Obtenga seis Palabras Aleatorias.**
2. **Escoja las tres que más le gusten, porque podrían ayudarle directamente en su vida.**
3. **Explique las razones de sus elecciones.**

NOTA: No se le permite vender ningún artículo para recaudar dinero. Tampoco está permitido trocar o intercambiar un artículo por otro. Debe emplear el artículo directamente o abstenerse por completo.

EJEMPLO

Las seis Palabras Aleatorias son: MICRÓFONO, PIRULÍ, ARROYO, PEZ, VALS y VESTIDO.

Pensamientos:

- **elección de MICRÓFONO: yo doy muchas conferencias y un micrófono realmente bueno es de lo más útil;**
- **elección de PIRULÍ: siempre hay necesidad de cosas que sean simples y deleitables, por lo que un suministro de pirulís sería agradable;**
- **elección de VALS: éste es mi baile favorito. ¡Y tendría que haber alguien con quien pudiera bailar!**

VARIACIONES

1. Ordene las seis palabras en función de la utilidad que, en su opinión, tiene cada una. La más útil será la primera.
2. Obtenga ocho Palabras Aleatorias y seleccione tres.

CONTRARIOS

Hay muchas clases de contrarios: positivo/negativo, arriba/abajo, derecha/izquierda, socialista/capitalista, etc.

En este ejercicio, escoja su tipo de contrario. Es necesario que lo explique claramente.

PROCESO

1. **Obtenga cuatro Palabras Aleatorias.**
2. **De estas cuatro Palabras Aleatorias, elija dos que crea que son contrarias en algún aspecto.**
3. **Explique por qué considera que estas palabras son contrarias entre sí: ¿cuál es el criterio?**

NOTA: Contrario significa en dirección opuesta.
Ser simplemente diferente no basta.

EJEMPLO

Las cuatro Palabras Aleatorias son: HIERRO, AN-
CLA, ALTAR y GUARDERÍA.
Pensamientos inmediatos:

- «guardería» y «altar». La guardería cuida de los
niños, que son inocentes. El altar o iglesia cuida
de las personas que pueden haber pecado y están
buscando redención.

Pensamientos ulteriores:

- «hierro» y «ancla». Al hierro se le puede dar muchas formas distintas. Se puede alterar y cambiar.
Un ancla debe de ser segura y no cambiar nunca
su agarre en el fondo marino.

Variaciones

1. **Obtenga una sola Palabra Aleatoria. Después obtenga tres Palabras Aleatorias más y decida** cuál de éstas es la más contraria a la primera palabra obtenida.

2. **Compruebe si hay alguna manera de que se puedan mostrar las cuatro Palabras Aleatorias de tal modo que cada una sea la contraria de las demás.**

ENLAZAR

Se trata de un ejercicio bastante difícil. La tarea es muy exigente. Se necesita mucha creatividad; concretamente «creatividad perceptiva».

La expresión «enlazar» significa «conectar» o «ser pertinente».

PROCESO

1. **Plantee cinco clases distintas de negocio o cinco situaciones diferentes.**
2. **Obtenga una sola Palabra Aleatoria.**
3. **Muestre de qué manera esta palabra enlaza o se relaciona con los negocios o situaciones que ha planteado.**

NOTA: El «enlace» debe de ser significativo. Por ejemplo: la palabra es «interruptor de luz». En este caso no bastaría con decir que todos los negocios tienen edificios y todos los edificios interruptores de luz.

EJEMPLO

Los cinco tipos de negocio son: seguros de vida, venta de coches, agencia de viajes, restaurante y escuela privada.

La Palabra Aleatoria es: PASAPORTE.

Pensamientos:

- que la persona lleve una forma de pasaporte que contenga una lista de todas sus pólizas de seguros, sobre todo relacionadas con accidentes y desastres;
- un registro formal del rendimiento y servicios de un coche, una especie de pasaporte para el coche que indique cuando se necesitan servicios, etc.;
- un segundo pasaporte empleado por el agente de viajes, para así poder obtener los visados que necesite incluso cuando la persona esté viajando;
- un registro guardado por el restaurante para los

clientes habituales, que contenga una lista de los platos y vinos que éstos han tomado y disfrutado;

- «pasaporte» sugiere otros países. La escuela, entonces, debería hacer un esfuerzo por atraer a estudiantes de todas las partes del mundo.

VARIACIONES

1. Pruebe una segunda Palabra Aleatoria con el mismo conjunto de negocios o situaciones.
2. Obtenga dos Palabras Aleatorias y, luego, compruebe cuál de las dos encaja con cada negocio o situación.
3. Utilice Palabras Aleatorias para sugerir los cinco negocios o situaciones en primer lugar.

NECESIDADES

Las necesidades son una especie de valor, pero son valores que se «necesitan». Otros valores pueden ser agradables o un lujo, pero las necesidades son necesarias.

Es otro ejercicio de creatividad perceptiva. ¿Cómo se pueden ver las cosas de distintas maneras?

PROCESO

1. Comience con una lista definida de necesidades. Cree la suya propia o utilice la que aparece aquí, en el ejemplo.
2. Obtenga cuatro Palabras Aleatorias.
3. Examine las cuatro Palabras Aleatorias para ver cuáles se podrían aplicar a una o más de las necesidades definidas.
4. Explique de qué manera la Palabra Aleatoria ayudaría a satisfacer esa necesidad.

NOTA: La explicación de cómo podría ser satisfecha la necesidad debe ser clara y lógica.

Ejemplo

Necesidades definidas: protección, comida, cobijo, dinero y amigos.

Las cuatro Palabras Aleatorias son: LLAVE INGLESA, TOBILLO, CIRUJANO y LIBRO.

Pensamientos:

- «llave inglesa» o «cirujano» podrían sugerir un tipo de preparación o profesión que proporcionaría dinero;
- «llave inglesa» podría sugerir una habilidad manual para construir su propio cobijo;
- «libro» podría contener recetas para cocinar y, así, hacer la comida más interesante;
- «libro» podría también ser algo de lo que podrías hablar con los amigos, o podrías hacer amigos a través de un club de lectura;
- «llave inglesa» podría ser un arma para protegerse;
- «tobillo» podría sugerir un deporte con el que podría hacer amigos.

Variaciones

1. **Escoja sólo una necesidad. Obtenga Palabras Aleatorias, una por una, e intente mostrar de qué modo cada una podría ser de ayuda para esa necesidad.**
2. **Elabore la lista de necesidades. Obtenga una Palabra Aleatoria e intente mostrar cómo dicha palabra podría ayudar, directa o indirectamente, a atender cada una de las necesidades.**
3. **Elija una necesidad. Obtenga cinco Palabras Aleatorias. Ordénelas con arreglo a cuánto pueden contribuir a paliar esa necesidad.**

ASOCIACIONES

En este ejercicio, el énfasis recae directamente en las asociaciones, no en conceptos, funciones ni valores.

Los pasos asociativos que dé han de ser fuertes. También han de ser cortos. El acento no se pone en la posibilidad sino en las asociaciones lógicas.

PROCESO

1. **Obtenga dos Palabras Aleatorias.**
2. **La tarea es pasar de una de las Palabras Aleatorias a la otra utilizando pasos asociativos.**
3. **Las pasos han de explicarse con claridad.**

NOTA: No se pueden utilizar los conceptos como pasos. No se pueden utilizar los valores como pasos.

Ejemplo

Las dos Palabras Aleatorias son: VINAGRE y VENDA.
Pensamientos inmediatos:

- **el vinagre está hecho de vino. El vino contiene alcohol. Muchos accidentes de carretera están causados por el alcohol. Las víctimas tal vez necesiten ser vendadas de alguna manera.**

Pensamientos ulteriores:

- **el vinagre se añade a las ensaladas. Los vegetarianos comen ensaladas; ellos creen que no se debería matar animales para comer. Matar implica daño. Las vendas se usan para las heridas.**

Variaciones

1. **Obtenga una Palabra Aleatoria y, después, dos Palabras Aleatorias más. Empleando solamente asociaciones, derive desde la primera hasta cada una de las otras dos.**
2. **Obtenga una Palabra Aleatoria y, después, otras dos. Muestre de qué manera puede derivar de cada una de las dos a la original utilizando únicamente asociaciones.**

DISFRUTE

Se trata de otro ejercicio de creatividad constructiva. Hay un valor final determinado.

El valor final es el disfrute o diversión.

El disfrute puede ser formal, como en cualquier negocio organizado, o informal, como en algo que le guste hacer.

PROCESO

1. **Obtenga cinco Palabras Aleatorias.**
2. **Seleccione cuatro de las palabras y descarte la quinta.**
3. **Muestre de qué manera se pueden agrupar las cuatro palabras para proporcionar disfrute de alguna clase, formal o informal.**

NOTA: Tiene que haber una integración de las cuatro palabras, y no sólo una enumeración como: «Hice esto, y luego esto y luego aquello», etc.

Ejemplo

Las cinco Palabras Aleatorias son: ENREDADERA, TARJETA, ARRENDAJO, TRASTADA y MIGAS.
Pensamientos:

- descarte «trastada»;
- «arrendajo» sugiere un parque ornitológico;
- debería haber una vegetación exuberante y enredaderas de todas clases;
- se daría a los visitantes un juego de tarjetas de colores, cada una de las cuales mostraría una de las especies de aves que hay en el parque. Debería tratar de verlas todas;
- las migas se pueden usar para alimentar a las aves del parque.

Variaciones

1. Utilizando las cuatro Palabras Aleatorias (seleccionadas de entre cinco obtenidas), diseñe un

tipo de negocio rentable relacionado con vacaciones o medio ambiente.

2. Obtenga seis Palabras Aleatorias. Utilice tres
para diseñar un negocio de entretenimiento y las
otras tres para diseñar alguna forma de entretenimiento que no sea un negocio.

3. Obtenga tres Palabras Aleatorias y diseñe un negocio de entretenimiento. Obtenga otro grupo
de tres Palabras Aleatorias más. Muestre de qué
forma se puede mejorar o ampliar el negocio original.

CONTENER

Aquí el énfasis está en contener o absorber de alguna manera. Puede que necesite ser creativo para mostrar cómo se puede hacer esto. Se le permite cierta licencia creativa en este ejercicio que, de otro modo, sería demasiado difícil.

PROCESO

1. **Obtenga cuatro Palabras Aleatorias.**
2. **Muestre de qué manera estas palabras podrían contener o absorber las otras tres.**

NOTA: Se le permite ser imaginativo.

EJEMPLO

Las cuatro Palabras Aleatorias son: PRADO, FIGU-
RA, MEDIO AMBIENTE y SENADOR.
Pensamientos inmediatos:

- **el medio ambiente incluye el prado, que incluye
  la figura del senador paseando a su perro.**

Pensamientos ulteriores:

- **el senador, en un discurso en el Congreso, está
  hablando sobre el medio ambiente y pone el
  ejemplo de la profanación de un prado próximo a
  su casa por unas figuras sombrías.**

VARIACIONES

1. **Obtenga una Palabra Aleatoria. Después obtenga otras, una por una, hasta que tenga tres que
   puedan estar contenidas o ser absorbidas por la
   primera.**
2. **Obtenga cuatro Palabras Aleatorias. Después
   obtenga más Palabras Aleatorias, una cada vez,
   hasta que consiga una que pueda contener o absorber las cuatro originales.**

LLEVAR A CABO TAREAS

Hay que llevar a cabo una tarea determinada. ¿Cómo lo hará? Esto es algo distinto a la resolución de problemas. En la resolución de problemas queremos librarnos del problema. Llevando a cabo una tarea queremos alcanzar algo que creemos que aportará valor.

PROCESO

1. **Defina la tarea que quiere llevar a cabo. Puede utilizar una de las tareas ofrecidas aquí abajo o escoger una de su cosecha:**
   - **hacer una película;**
   - **diseñar un parque temático;**
   - **crear un nuevo tipo de sombrero;**
   - **montar algún entretenimiento fluvial;**
   - **seleccionar un equipo de personas creativas;**
   - **abrir un restaurante.**

2. **Obtenga una sola Palabra Aleatoria.**
3. **¿Cómo puede utilizar esta Palabra Aleatoria para que le ayude a llevar a cabo la tarea en cuestión? ¿Qué nuevas direcciones se abren?**

NOTA: Esto debería ser distinto de la resolución de problemas, ya que las tareas como tales no deben ser un problema. Puede sugerir instrucciones generales para abordar la tarea; sugerir conceptos específicos e, incluso, proponer ideas prácticas detalladas. Todo ello será válido.

EJEMPLO

La tarea es: abrir un restaurante.
La Palabra Aleatoria es: ESCALAR.
Pensamientos:

- **el restaurante podría tener un tema de montaña. Se podría incluso tener que escalar para alcanzar la mesa;**
- **«escalar», en términos de montar un restaurante, podría significar empezar con un sencillo café y, después, construir hacia arriba, ganando experiencia sobre la marcha antes de abrir un gran restaurante;**

- los escaladores, en una montaña, van unidos por una cuerda y se ayudan los unos a los otros. Así pues, podría ser cuestión de encontrar socios y comprometer a todos en el proyecto mediante acuerdos y contratos;
- «escalar» sugiere que hay una montaña que escalar. Esto puede significar definir muy claramente cómo será el restaurante, y en qué podría diferenciarse de otros restaurantes. La visión debería estar clara para todo el mundo.

VARIACIONES

1. Obtenga dos Palabras Aleatorias y muestre cómo cada una abre un camino o dirección distintos.
2. Obtenga dos Palabras Aleatorias, pero descarte una y use la otra.
3. Intente mostrar cómo la misma Palabra Aleatoria puede sugerir enfoques alternativos para llevar a cabo la tarea.

JUEGO 32

NUEVO DEPORTE

Se trata de un ejercicio de diseño con una tarea definida. Es una tarea que está llena de valores necesarios. Un deporte tiene que ser seguro, divertido, ameno y fácil de aprender, aunque después requiera grandes habilidades técnicas para llegar a niveles superiores, etc.

Esto es muy diferente de crear sencillamente algo nuevo y distinto y creer que la novedad es valor suficiente.

La mayoría de los deportes (fútbol, *cricket*, béisbol, baloncesto, etc.) han existido desde hace mucho tiempo. Tal vez ya sea hora de que haya un deporte nuevo.

PROCESO

1. **Defina el objetivo según se describe arriba. También puede añadir si debería ser un deporte de**

campo, un deporte en que participen dos personas, etc., o puede dejar esta cuestión abierta.
2. Obtenga tres Palabras Aleatorias.
3. Emplee una o todas las Palabras Aleatorias para
   diseñar el nuevo deporte.
4. Exponga los beneficios de este nuevo deporte.

NOTA: Las Palabras Aleatorias se pueden utilizar
de cualquier forma: como concepto, función, asociación, valor, etc.

EJEMPLO

Las tres Palabras Aleatorias son: REMO, SEÑUE-
LO y PIRÁMIDE.
Pensamientos:

- «pirámide» sugiere un montículo que la gente tiene que trepar para llegar a su cima;
- «remo» sugiere un palo largo que se puede utilizar para impedir que otros alcancen la cima. No
  se puede golpear a nadie con el palo, pero sí se
  puede emplear como una barrera;
- «señuelo» sugiere una segunda pirámide. Un
  equipo puede decidir ascender uno u otro montículo;

- un juego de dos equipos, con seis jugadores en cada equipo. El objetivo es alcanzar la cima de cualquiera de los dos montículos, donde hay que coger una bandera. Esto cuenta como un «punto» o «tanto»;
- los equipos se turnan para atacar y defender. El tiempo para coger la bandera está estipulado. Si la bandera no se consigue dentro de ese plazo de tiempo, el otro equipo se lleva el tanto.

Variaciones

1. La tarea de diseño puede ser un juego de mesa en lugar de un deporte, o cualquier otra clase de juego.
2. Puede descartar una de las tres Palabras Aleatorias y obtener otra palabra más.

RELACIÓN FUERTE

Volvemos a la creatividad perceptiva. Esto significa la creatividad de ver las cosas de múltiples maneras.

Está también el elemento de valorar la fuerza de una relación y distinguir entre una relación débil (simplemente posible) y una relación fuerte (dominante).

PROCESO

1. **Obtenga una Palabra Aleatoria.**
2. **Obtenga más Palabras Aleatorias, una cada vez, hasta que consiga una que tenga una relación fuerte y obvia con la primera Palabra Aleatoria.**
3. **Explique la relación y por qué piensa que es una relación fuerte.**

NOTA: Puede intentar alguna relación para cada Palabra Aleatoria obtenida y explicar por qué está esperando una relación más solida.

EJEMPLO

Primera Palabra Aleatoria: CARRETA.
Segunda Palabra Aleatoria: ESTACIÓN DE AUTO-BÚS.

- **una relación bastante sólida en términos de transporte y viaje.**

Tercera Palabra Aleatoria: PASIÓN.

- **relación débil, posiblemente «una pasión por los viajes».**

Cuarta Palabra Aleatoria: OPTIMISTA.

- **relación débil. Cualquiera que viaje es optimista en cuanto a llegar a su destino.**

Quinta Palabra Aleatoria: GOLF.

* **buena relación en términos del cochecito empleado para desplazarse por un campo de golf.**

La relación más fuerte es probablemente la primera.

VARIACIONES

1. **¿Qué otras posibles relaciones hay entre las dos palabras que tienen la relación más sólida?**
2. **Obtenga cinco Palabras Aleatorias. Seleccione las dos que tengan una relación más sólida y obvia. Busque otras relaciones entre estas dos palabras escogidas.**
3. **Obtenga dos grupos de tres Palabras Aleatorias cada uno. Encuentre la relación más sólida entre una palabra de un grupo y otra palabra del otro grupo.**

EMPAREJAR PALABRAS (*SNAP*)

Este ejercicio se deriva directamente de la serie Think Link, de principios de la década de 1970.

El acento aquí se pone directa y exclusivamente en los conceptos. No se admite ningún otro criterio de semejanza o relación.

PROCESO

1. **Obtenga una Palabra Aleatoria.**
2. **Obtenga más Palabras Aleatorias, una cada vez, hasta que una de ellas muestre un gran semejanza conceptual con la primera palabra obtenida. Puede decir «snap», si lo desea.**
3. **Explique el concepto que es similar.**

NOTA: Sea muy disciplinado en cuanto al criterio conceptual del juego.

EJEMPLO

Primera Palabra Aleatoria: LUZ DE NEÓN.
Segunda Palabra Aleatoria: CORDEL.

- **un cordel es largo y delgado. Las luces de neón son, normalmente, largas y delgadas (pero esto es más una descripción que un concepto).**

Tercera Palabra Aleatoria: ENCICLOPEDIA.

- **el propósito de una luz de neón es, normalmente, proporcionar información. También es el propósito de una enciclopedia.**

Cuarta Palabra Aleatoria: ZUMO.

- **a menudo de vivos colores como las luces de neón (de nuevo, esto es más descriptivo y no es parte de la función);**
- **probablemente se quedaría con enciclopedia.**

Variaciones

1. Este juego es ideal para dos personas. Ambos jugadores tienen que decir «snap» cuando obtengan una nueva Palabra Aleatoria. La persona que dice «snap» debe definir inmediamente el concepto que hay detrás de ese «snap».

2. Obtenga dos Palabras Aleatorias cada vez, incluso la primera vez. «Snap» se puede aplicar entonces a una semejanza conceptual entre cualquiera de las dos palabras originales y cualquiera de las dos palabras recién obtenidas.

ROMPER Y CONSTRUIR

Este ejercicio contiene elementos de análisis y pensamiento constructivo. De modo que hay creatividad perceptiva y creatividad constructiva.

Proceso

1. **Obtenga tres Palabras Aleatorias.**
2. **Desglose cada Palabra Aleatoria en sus partes componentes, bien sean componentes físicos o componentes abstractos. (Los conceptos, valores o funciones se pueden abstraer de la palabra, pero no son partes físicas de ésta.)**
3. **Reúna tantos componentes físicos como pueda para formar algo que aporte valor.**
4. **Explique el valor creado.**

> **NOTA: El valor creado debe ser realista. No basta
> con que sea simplemente novedoso.**

EJEMPLO

Las tres Palabras Aleatorias son: TAXI, ABUELA y
TÍTULO.
Pensamientos:

- «taxi» podría desglosarse en: vehículo reconocible, transporte, conductor, tarifa, taxímetro;
- «abuela» podría desglosarse en: vejez, familia, pelo cano, compras;
- «título» podría desglosarse en: distinción reconocible, forma de tratamiento, recompensa.

Idea:

- una especie de «club de abuelos» al que pudieran pertenecer los ancianos. Éstos tendrían una tarjeta de identificación. Con ella obtendrían descuento en todas las tarifas de taxi y otros transportes. Esto podría aplicarse también a las compras.

VARIACIONES

1. Obtenga una Palabra Aleatoria. Extraiga de ella
   algún valor. Obtenga más Palabras Aleatorias y
   determine de qué manera podría cada una ofre-
   cer el valor escogido.
2. Obtenga cuatro Palabras Aleatorias más y descarte una antes de proseguir con el juego básico.
3. Obtenga otra Palabra Aleatoria después de diseñar la idea y vea si esta palabra podría contribuir
   a dicha idea.

VALORES

Aquí el énfasis está en los valores. Los valores podrían tener que ver con una persona, una organización, el medio ambiente, etc. Los valores descubiertos deben ser tan exactos como sea posible.

La capacidad de ver valores es una parte esencial de la creatividad. Sin esta capacidad, no podría ver los valores existentes en cualquier idea que pueda crear.

Proceso

1. **Obtenga cinco Palabras Aleatorias.**
2. **Encuentre los valores existentes en cada Palabra Aleatoria. Puede que haya más de un valor.**
3. **Agrupe las palabras de acuerdo con los valores dominantes. Puede incluir una misma palabra en dos grupos distintos, si la palabra muestra dos valores.**
4. **Explique las agrupaciones de valores.**

NOTA: Debe haber un mínimo de dos palabras en cada agrupación.

Ejemplo

Las cinco Palabras Aleatorias son: PODER, CUE-VA, PAÑAL, MANTEQUILLA y CORDÓN DE ZA-PATO.

Pensamientos:

- «cueva», «pañal» y «cordón de zapato» tienen un valor de tipo «recipiente». Sirven para contener cosas;
- «poder» y «mantequilla» tienen un valor de tipo «energía».

Variaciones

1. Escoja una, de entre las cinco Palabras Aleatorias obtenidas, que posea un valor único que no aparezca en ninguna de las otras.
2. Continúe obteniendo Palabras Aleatorias hasta que tenga un mínimo de tres palabras en cada grupo de valor.

VITRINA

¿Cómo se demuestra o expone un valor?

Puede que sea consciente de cierto valor, pero ¿cómo se lo demuestra a los demás? Éste es el papel de los ejecutivos de publicidad, que tienen que comunicar valores.

PROCESO

1. **Obtenga una sola Palabra Aleatoria.**
2. **Extraiga el valor de principio de esta Palabra Aleatoria.**
3. **¿Cómo puede exponer o demostrar ese valor?**
4. **Obtenga una segunda Palabra Aleatoria. Compruebe si la nueva palabra puede ayudarle en su tarea de demostrar el valor extraído.**

NOTA: Puede demostrar el valor de cualquier manera, y no tiene que ceñirse obligatoriamente a la Palabra Aleatoria.

EJEMPLO

La Palabra Aleatoria es: *SPIT*.
Pensamientos:

- la palabra inglesa «spit» tiene dos significados. Uno es «escupir» y el otro «espetón», es decir, la varita con la que se ensarta un pollo u otros alimentos para asarlos al fuego;
- el primer valor podría ser «la capacidad de deshacerse de algo que no necesita y que puede incluso ser incómodo». Este valor se podría mostrar utilizando el ejemplo de una persona cuya vida ha llegado a estar abarrotada de cosas que no necesita. Es necesario desecharlas. También hay leyes viejas que hay que descartar. Por ejemplo, cada taxi de Londres debería llevar una bala de paja (viene de los días en que los taxis eran tirados por caballos);
- el segundo valor es «la capacidad de mantener las cosas en cierta posición para que algún proceso

pueda tener lugar». Un ejemplo podría ser un molde de escayola que sostiene una pierna en cierta posición para que pueda tener lugar la curación de un hueso roto.

Otra Palabra Aleatoria: OÍDOS.
Pensamientos:

- hasta cierto punto, los oídos son selectivos y nos permiten oír ciertos sonidos y no otros. Sería útil si pudiéramos instruir a nuestros oídos para que no oyesen algunos sonidos;
- en algunos animales, los oídos están eficazmente diseñados para permitirles localizar la fuente de los sonidos. Esto es un tipo de posicionamiento para conseguir el mejor resultado.

VARIACIONES

1. Sugiera un eslogan publicitario para transmitir el valor escogido. Posiblemente, incluso un cartel publicitario o un anuncio de televisión.
2. Haga una lista de cosas existentes que ilustren este valor en particular.

DESCRIPCIÓN

Las descripciones indirectas se apoyan en comparaciones. En este ejercicio se le pide que haga comparaciones entre un significado y los demás con el fin de definir el primer significado.

Hay una necesidad creativa de descubrir los puntos de comparación que ayudan a la descripción.

PROCESO

1. **Obtenga una sola Palabra Aleatoria.**
2. **Obtenga tres Palabras Aleatorias más.**
3. **Describa la primera palabra en referencia a las otras tres y en comparación con ellas.**

NOTA: Se puede usar tanto el contraste como la semejanza.

Ejemplo

Primera Palabra Aleatoria: PRADO CERCADO.
Las tres siguientes Palabras Aleatorias: SALTO DE ALTURA, CANDADO y PAPILLA DE AVENA.
Pensamientos:

- la papilla de avena es comida contenida en un plato. Un prado contiene hierba, que es comida para los caballos;
- un candado encierra algo en un lugar. Un prado contiene y encierra, mediante una valla que lo rodea, animales en esa área;
- para ganar en salto de altura tiene que ser capaz de saltar muy alto. Para que un animal pudiera salir de un prado cercado tendría que saltar muy alto por encima de la valla que lo rodea.

Variaciones

1. Obtenga cuatro Palabras Aleatorias al mismo tiempo. Elija una para describirla con arreglo a las otras tres.
2. Obtenga más Palabras Aleatorias, una cada vez, y determine de qué forma puede usar cada una de ellas para describir la primera palabra en el juego básico.

PODER POLÍTICO

Se trata de otro ejercicio con una tarea muy definida. La tarea consiste en proporcionar algo que pueda ayudar a un partido político. Esta ayuda podría ser en forma de estrategia o simplemente un eslogan que se pudiera utilizar.

Aquí el propósito del pensamiento es aumentar el poder político de un partido.

PROCESO

1. **Obtenga cuatro Palabras Aleatorias.**
2. **Extraiga, de cualquiera de estas Palabras Aleatorias, conceptos, valores e ideas que sirvan al propósito político.**
3. **Explique por qué cree que las sugerencias podrían funcionar.**

NOTA: Las sugerencias no deben ser demasiado amplias, como por ejemplo: «Los políticos intentan hacer lo correcto y las vitaminas son buenas para la salud». Tienen que ser más concretas.

Ejemplo

Las cuatro Palabras Aleatorias son: MUSULMÁN, DESPACHO, ASTA DE BANDERA y COLCHA.
Pensamientos:

- enfatizar el aspecto multicultural (musulmán) pero, al mismo tiempo, proponer que todas las culturas se unan bajo una identidad nacional (asta de bandera);
- el partido es pro negocios (despacho) pero también pro familias y propietarios de casas (colcha);
- observe que una colcha puede estar hecha de diferentes tejidos cosidos juntos. Del mismo modo, diferentes culturas pueden unirse para formar una nación

Variaciones

1. **Cree un eslogan de elecciones real basado en el enfoque derivado de las cuatro Palabras Aleatorias.**
2. **Cree una estrategia de ataque con la que atacar al partido opuesto, también basada en las Palabras Aleatorias.**

JUEGO 40

HISTORIA

Este ejercicio conlleva un uso de la creatividad bastante poco común.

La historia trata de la verdad y de la verdad acerca de lo que ocurrió en el pasado. Pero el modo en que vemos el pasado es también una cuestión de percepción e interpretación. Aquí es donde entra en juego la creatividad perceptiva. La creatividad puede sugerir posibilidades que, después, se pueden comprobar de distintas maneras.

La información puede contener hechos, pero el modo de ver la información es una cuestión de percepción.

Proceso

1. **Obtenga cinco Palabras Aleatorias.**
2. **Examine cada una de estas Palabras Aleatorias para ver de qué modo esa palabra se puede relacionar con la historia. ¿Qué podría sugerir o aportar la palabra en cuestión?**

NOTA: Las ideas pueden relacionarse con la historia en general o con episodios particulares de la historia.

Ejemplo

Las cinco Palabras Aleatorias son: ÁNGULO, COLOR, HIEDRA, OLIMPIADAS y ÁRBITRO.

Pensamientos:

- «ángulo» sugiere el punto de vista particular de una persona o un historiador;
- «color» sugiere gafas teñidas y el color o prejuicio a través del cual se está examinando la historia;
- una idea podría ser plantear diferentes posibilidades de ángulo y color, y escribir una versión de

la historia desde cada uno de los distintos ángulos, en lugar de presentar una sola versión como la verdadera;

- «árbitro» sugiere algún organismo o investigador comisionado que examinaría las diferentes versiones de la historia y daría a cada una su aprobación o condena según él, o ella, lo juzgara apropiado. En otras palabras, la historia no es sencillamente una posesión de los historiadores o de las personas implicadas en ella. Es necesario que haya una evaluación objetiva independiente;

- la «hiedra» cubre las cosas y uno no sabe lo que hay debajo de ella. El mismo encubrimiento puede tener lugar con la historia, ya sea deliberadamente o a través de circunstancias;

- Los Juegos Olímpicos eran una especie de suspensión de la historia en que los Estados en guerra olvidaban sus diferencias para juntarse a competir en atletismo. Esto añadía una dimensión competitiva distinta. Quizá las guerras de la historia pueden verse de formas distintas, tal vez como el comportamiento de personalidades clave en lugar de motivadas por causas subyacentes.

Variaciones

1. Obtenga seis Palabras Aleatorias y dispóngalas en orden histórico. ¿Cuándo apareció por vez primera el artículo, objeto o concepto?
2. Obtenga cinco Palabras Aleatorias como en el juego básico y, luego, aplíquelas a un episodio concreto de la historia como, por ejemplo: la Revolución Francesa, la formación del Imperio Británico, la guerra civil americana, etc.

DISTINTAS DIRECCIONES

El énfasis está en «diferencia» y «direcciones».

Arrancando desde un punto central, distintas carreteras discurren en diferentes direcciones.

Una de las funciones del pensamiento creativo es abrir direcciones distintas de la habitual. Éstas son «posibilidades». Lo que nosotros hagamos con las posibilidades es otro asunto.

PROCESO

1. **Obtenga una sola Palabra Aleatoria.**
2. **Obtenga otras tres Palabras Aleatorias, que se pueden obtener una detrás de otra.**
3. **Muestre cómo cada una de estas tres Palabras Aleatorias pueden desarrollarse, cambiar, mejorar o «extender» la primera Palabra Aleatoria.**

4. En todos los casos, explique la diferencia entre las tres direcciones de cambio.

NOTA: Sea tan concreto como pueda. ¡Las afirmaciones muy generales son lo mismo que decir que resolvería un problema si encontrase la respuesta correcta!

EJEMPLO

Primera Palabra Aleatoria: HATILLO.
Las tres siguientes Palabras Aleatorias: ACEBO, REINA y TERRENO DE JUEGO.
Pensamientos:

- «acebo» sugiere Navidad, y esto lleva la idea de «hatillo» en la dirección de un hatillo de necesidades (o actividades) navideñas. Se puede adquirir un hatillo en lugar de comprar las cosas una por una;
- podría haber un hatillo de conductas que se conocen de antemano y que obtienen aprobación real y, tal vez, algún reconocimiento real;
- los terrenos de juego están diseñados para realizar un hatillo de actividades distintas. Podría ha-

ber un papel de animador de terreno de juegos que pueda introducir y enseñar diferentes juegos y actividades.

VARIACIONES

1. Obtenga nuevas Palabras Aleatorias; una cada vez, y vea si cada una de ellas puede extender una de las direcciones ya establecidas por las Palabras Aleatorias previas.
2. Obtenga cuatro Palabras Aleatorias en el juego básico y, después, descarte una.
3. Pruebe una Palabra Aleatoria inicial diferente y, después, vea de qué modo las tres palabras obtenidas en segundo lugar pueden abrir distintas direcciones a partir de este nuevo punto de partida.

CONCEPTOS OPERATIVOS

Un «concepto operativo» es muy diferente de un «concepto descriptivo». Un concepto operativo tiene que ver con operaciones y con acciones. Se parece a un concepto funcional.

¿Cómo funciona? ¿Cómo opera? ¿Cómo produce resultados?

Hay una diferencia entre los detalles de operación y el concepto que hay detrás de dichos detalles. Una vez que se ha determinado el concepto, éste puede operar a través de distintos detalles.

Proceso

1. **Obtenga seis Palabras Aleatorias.**
2. **¿En cuántas de estas Palabras Aleatorias puede identificar un concepto operativo similar?**
3. **El concepto similar puede existir en dos o más**

palabras. Puede haber distintos conceptos operativos en más de una de las palabras.

4. Explique los conceptos operativos con detalle y mucha claridad.

NOTA: Lo que se busca es un concepto operativo clave o básico. ¿Cuál es el concepto impulsor? Los conceptos periféricos no son aceptables.

EJEMPLO

Las seis Palabras Aleatorias son: ESPINA DORSAL, ESTACIÓN DE AUTOBÚS, TELAR, COLISIÓN, CANTERA y BRIDA.

Pensamientos:

- «espina dorsal» y «estación de autobús» operan como partes centrales de un sistema de comunicaciones;
- «telar» y «brida» proporcionan una especie de marco a través del cual la actividad humana puede conseguir los resultados deseados;
- «cantera» y «colisión» implican ambos el uso de considerable fuerza, en un caso deseada y en el otro no deseada.

VARIACIONES

1. **Obtenga nuevas Palabras Aleatorias, una por una, y vea si alguna de ella posee el mismo concepto operativo de las que ya se han descrito.**
2. **Obtenga una sola Palabra Aleatoria y defina el concepto operativo. Obtenga otras Palabras Aleatorias hasta que encuentre una que comparta el mismo concepto operativo.**

POESÍA

Aquí se hace un uso directo de la creatividad para estimular un esfuerzo artístico: la poesía.

En este caso, la Palabra Aleatoria proporciona puntos fijos en el poema en torno a los cuales se puede escribir el resto.

PROCESO

1. **Obtenga dos Palabras Aleatorias.**
2. **La primera palabra obtenida nos da la última palabra del primer verso de un poema.**
3. **El segundo verso del poema termina con una palabra que usted escoge para que rime con el primer verso.**
4. **La segunda Palabra Aleatoria forma la última palabra del tercer verso del poema.**
5. **El cuarto verso termina con una palabra que usted escoge para que rime con el tercer verso.**

EJEMPLO

Las dos Palabras Aleatorias son: MARINERO y DI-
RECTOR DE ESCUELA.

Pensamientos:

Se enamoró de un marinero
Que le prometió mucho dinero
Ella se lo contó al director de la escuela
Quien dijo que eso no era propio de una damisela

VARIACIONES

1. Añada más versos al poema de la misma manera.
2. Obtenga más Palabras Aleatorias, cada una de
   las cuales debe colocarse en alguna parte del
   poema, pero no necesariamente al final de un
   verso.

GEMELOS

La cuestión aquí es emparejar dos palabras en tantos aspectos como sea posible; es decir, obtener dos palabras gemelas.

El ejercicio implica creatividad perceptiva.

PROCESO

1. **Obtenga cinco Palabras Aleatorias.**
2. **De estas cinco palabras, escoja las dos que parezcan casar mejor por varios motivos.**
3. **Intente emparejarlas al menos en tres aspectos.**
4. **Explique el emparejamiento.**

NOTA: Como de costumbre, la composición literal no se acepta como criterio para emparejar.

EJEMPLO

Las cinco Palabras Aleatorias son: CARRETA, BU-FANDA, BINGO, GUITARRA y LADRÓN.
Pensamientos:

- «bingo» y «ladrón» implican dinero que no se ha ganado; hay un fuerte elemento de incertidumbre; sucede de noche; progresión paso a paso; beneficios inesperados; moralmente desaprobados por algunos.

VARIACIONES

1. Obtenga nuevas palabras para ver si las gemelas se pueden convertir en trillizas.
2. Intente casar otras dos de las cinco Palabras Aleatorias originales.

JUEGO 45

SIMPLIFICAR

Uno de los resultados más útiles de la creatividad aplicada es la simplificación. Los procesos tienden a hacerse siempre más complicados y hay que simplificarlos. Se necesita creatividad para esta simplificación.

PROCESO

1. **Obtenga tres Palabras Aleatorias.**
2. **Obtenga otras tres Palabras Aleatorias.**
3. **¿Hay algún concepto o principio, en el segundo grupo de palabras, que se pueda utilizar para simplificar algún proceso en el primer grupo de palabras? Se puede usar el artículo directamente o como concepto.**
4. **Explique la simplificación.**

NOTA: Si las palabras son totalmente inadecuadas para este proceso, puede obtener otras. Ahora bien, haga un gran esfuerzo para utilizar las primeras palabras obtenidas.

EJEMPLO

Tres primeras Palabras Aleatorias: AUTOBÚS, GRADO y NÚMERO.

Tres segundas Palabras Aleatorias: COTILLEO, COLONIA y TARJETA DE CRÉDITO.

Pensamientos:

- **el uso de tarjetas de crédito en las máquinas de los autobuses para pagar el billete. Podría haber tarjetas de crédito normales o tarjetas de crédito especiales para autobús.**

VARIACIONES

1. **En lugar de obtener tres Palabras Aleatorias después de las tres primeras, obtenga una Palabra Aleatoria cada vez hasta que consiga una que sugiera una simplificación.**

2. En lugar de las tres primeras Palabras Aleatorias, obtenga Palabras Aleatorias, una cada vez, hasta que llegue a una palabra de «proceso». Después prosiga como se ha explicado anteriormente para simplificar dicho proceso. Esto es necesario, ya que algunas palabras son difíciles de simplificar.

SEMEJANZA

La creatividad abre opciones y posibilidades. Éstas son esenciales en cualquier operación de búsqueda, cuando partimos en busca de algo.

En este ejercicio hay que buscar algo que sea semejante en varios aspectos.

PROCESO

1. **Obtenga cuatro Palabras Aleatorias.**
2. **Sugiera para cada una de estas palabras un animal, ave, pez o insecto que sea semejante a ellas en algún aspecto. Los humanos están excluidos.**
3. **Explique la semejanza propuesta.**
4. **Si la Palabra Aleatoria es ya un animal, un ave etc., obtenga entonces otra Palabra Aleatoria.**

EJEMPLO

Las cuatro Palabras Aleatorias son: COMPAÑE-
RO/A, BROMA, RONQUIDO y BIQUINI.
Pensamientos:

- «compañero/a» sugiere una relación de larga du-
ración. Algunas aves, como las perdices, se empa-
rejan de por vida. Hay un compañero/a estable;
- «broma» sugiere monos que juegan alrededor
como si tuvieran sentido del humor. O posiblemente el panda, que parece un animal creado
para hacer gracia;
- «ronquido» sugiere el croar de una rana;
- «biquini» sugiere una avispa o una mosca con
una cintura muy delgada y un cuerpo abultado
por encima y por debajo de ella, como una mujer
bien dotada en biquini.

VARIACIONES

1. Escoja primero un animal y después obtenga Palabras Aleatorias, una por una, hasta que encuentre una que posea alguna semejanza.
2. Obtenga seis Palabras Aleatorias y descarte dos
antes de proseguir con el juego básico.

DEVALUAR

¿Cuál es el valor clave aquí? Este ejercicio consiste en identificar un valor clave y, después, sustraer dicho valor.

PROCESO

1. **Obtenga tres Palabras Aleatorias.**
2. **Despoje un aspecto, rasgo o concepto de cada una de las Palabras Aleatorias y, al hacerlo así, despojará de valor al artículo.**
3. **Explique por qué su sustracción devalúa dicho artículo.**

NOTA: Intente que la sustracción sea lo más crucial posible. Sólo puede eliminar un rasgo o concepto.

Ejemplo

Las tres Palabras Aleatorias son: AGUJA, LECTU-
RA y ESPACIO.
Pensamientos:

- de «aguja» quitamos el rasgo de agudeza. Una
  aguja roma no sirve de mucho;
- de «lectura» quitamos el conocimiento de la lengua que se utiliza. La lectura se vuelve inútil. Podríamos también haber quitado la legibilidad de
  las letras;
- de «espacio» quitamos el concepto de vacío. Si el
  espacio está lleno de objetos, no tendemos a pensar en él como «espacio».

Variaciones

1. En una especie de ejercicio inverso, vea cuántos
   aspectos puede eliminar sin destruir la función
   básica. Por ejemplo: las agujas no tienen por qué
   estar hechas de acero.
2. Intente añadir algo que aumente el valor del artículo.

ANUNCIAR

En el mundo de la publicidad hay una necesidad considerable de creatividad. El aspecto de la comunicación de la creatividad es vital. Sin él, la publicidad es inútil. Hay que producir algo que sea original, pero que una vez inventado, sea obvio.

PROCESO

1. **Obtenga cuatro Palabras Aleatorias.**
2. **Elija una de las Palabras Aleatorias como el producto que se va a anunciar. Si ninguna de las palabras es adecuada para esto, obtenga entonces otra Palabra Aleatoria.**
3. **Vea de qué forma las restantes palabras, o una de ellas, se podría utilizar para anunciar el artículo seleccionado.**

4. Sugiera eslóganes, pósteres, anuncios de televisión, etc.

EJEMPLO

Las cuatro Palabras Aleatorias son: ICONO, OBJETIVO, PERSONAL y CONSUMIDOR.

Pensamientos:

- el negocio que se va a anunciar es una agencia que proporciona personal administrativo temporal.
- el anuncio pregunta: «¿Quiénes son los consumidores?» (del servicio). «¿Es el público? ¿Es el personal de oficina existente.» ¿Es el empresario que busca personal?;
- la agencia diseña su objetivo, lo que está intentando hacer. Tal vez se trate de proporcionar personal que encaje y aprenda rápidamente;
- el anuncio intenta hacer de esta agencia el icono de este ramo empresarial.

VARIACIONES

1. Apunte específicamente a un eslogan, un póster, un titular o un anuncio de televisión.

2. **Obtenga Palabras Aleatorias, una cada vez, hasta que consiga una que sea adecuada como un producto para ser anunciado. Después obtenga más Palabras Aleatorias, una por una, y muestre de qué manera cada una puede ayudar con la publicidad.**

ATRACTIVO

En este ejercicio, la creatividad se usa para designar valor. El esfuerzo creativo consiste en ver de qué modo algo determinado se puede utilizar para añadir valor. Es necesario, pues, explorar valores y posibilidades.

PROCESO

1. **Obtenga cinco Palabras Aleatorias.**
2. **Piense de qué manera podría emplear los conceptos, las características, las asociaciones o la naturaleza física de cualquiera de las cinco palabras para aumentar el atractivo de una de ellas.**
3. **Intente hacer lo mismo con todas las palabras.**
4. **Explique por qué cree que habría un atractivo añadido.**

NOTA: Haga sus valores tan obvios como sea posible. Deberían valer también en las circunstancias más comunes y no sólo en circunstancias muy especiales.

Ejemplo

Las cinco Palabras Aleatorias son: TRANVÍA, COLLAR, PARLAMENTO, MELÓN y DESFILE.

Pensamientos:

- de «desfile» obtenemos la idea de que los miembros de un Parlamento deberían desfilar por una calle central una vez al mes para que el público pueda verlos y hacer comentarios;
- de «melón» extraemos la idea de que, si uno está caminando y comiendo un melón, necesita algún modo de sostener el melón; se podría emplear una especie de «collar»;
- de «parlamento» obtenemos la idea de un collar que muestra a los principales partidos políticos, o a los ministros del gobierno;
- de «tranvía» extraemos la idea de unos desfiles en los que las personas no marchan sino que van de pie, sobre unos vehículos planos que se des-

plazan a remolque sobre raíles de tranvía, para
que la gente pueda verlas.

VARIACIONES

1. Obtenga una sola Palabra Aleatoria. Después
   obtenga nuevas palabras y vea de qué modo cada
   una de ellas podría ayudar a hacer el primer artículo más atractivo.
2. Obtenga cuatro Palabras Aleatorias y descarte
   dos. Utilice las dos que quedan para hacer más
   atractivo un artículo mostrado por una Palabra
   Aleatoria obtenida anteriormente.
3. Extienda el concepto de atracción ofrecido por
   una Palabra Aleatoria para incluir otras formas
   de llevar a cabo el concepto.

CRECIMIENTO

Crecimiento significa progresión en dirección hacia arriba. Las personas crecen, los negocios crecen, las ideas crecen, etc.

La tarea creativa en este ejercicio es mantener con claridad en la mente el objetivo de crecimiento y ver si se podría alcanzar con las Palabras Aleatorias obtenidas.

PROCESO

1. **Obtenga cuatro Palabras Aleatorias.**
2. **Comience con la más simple y, después, siga paso a paso con las más complejas. Imagine que está potenciando un negocio. ¿Cómo crecerá éste empleando las Palabras Aleatorias a modo de etapas o pasos?**
3. **Si ve que las cuatro primeras Palabras Aleatorias son completamente inadecuadas, obtenga cuatro**

más. Pero haga un esfuerzo por utilizar las cuatro primeras; ésa es la naturaleza de la creatividad.

4. Explique las etapas de crecimiento y su factibilidad.

Ejemplo

Las cuatro Palabras Aleatorias son: SALIVA, SANTO, LICENCIA y MENÚ.

Pensamientos:

- «saliva» sugiere bocas y odontología;
- obtiene una licencia para abrir una clínica dental y emplea a dentistas licenciados;
- hace que el negocio crezca ofreciendo un menú que incluya otro tipo de atenciones, como cirugía plástica;
- «santo» sugiere el cielo. Así que añada un hospicio para aquellos que están en fase terminal.

Variaciones

1. Obtenga las Palabras Aleatorias una por una. Utilice cada palabra como una etapa de un negocio determinado por la primera palabra.

2. La primera Palabra Aleatoria determina el negocio. Obtenga otra Palabra Aleatoria si la primera es totalmente inadecuada. Después obtenga dos Palabras Aleatorias juntas. Utilice una y descarte la otra. La palabra elegida debería sugerir una etapa de crecimiento en el negocio.

INFLUENCIA

En un mundo interactivo, muchas cosas influyen en otras. Dicha influencia puede ser fuerte o débil. También puede ser directa o indirecta. Y, finalmente, positiva o negativa.

Explorar las posibilidades de la influencia es otra de las tareas de la creatividad.

PROCESO

1. **Obtenga cinco Palabras Aleatorias.**
2. **Muestre de qué forma cada una de estas Palabras Aleatorias puede influir de alguna forma en las otras.**
3. **Explique la influencia.**

NOTA: En este ejercicio se admiten tipos de influencia remotos.

Ejemplo

Las cinco Palabras Aleatorias son: BOLSO, COMETA, PIMIENTA, SERPIENTE y REFUGIADO.
Pensamientos:

- un bolso de piel de serpiente tiene mucho valor;
- un aerosol de pimienta en el bolso es útil para disuadir a posibles asaltantes;
- los refugiados necesitan grandes bolsas, porque puede que tengan que transportar todas sus pertenencias en ellas;
- los refugiados podrían estar influidos por un cometa o por el estado de los cielos a la hora de emprender su viaje;
- la pimienta podría, o no, repeler a una serpiente.

Variaciones

1. **Obtenga una Palabra Aleatoria. Después obtenga tres Palabras Aleatorias más. Vea cuál de estas tres influiría más en la primera palabra.**

2. **Obtenga dos Palabras Aleatorias. Después obtenga nuevas Palabras Aleatorias, una cada vez. Compruebe de qué modo, y en qué medida, cada nueva palabra influiría en una de las otras dos palabras, o en ambas.**

3. **Obtenga una Palabra Aleatoria. Obtenga otras Palabras Aleatorias. Decida de antemano si la influencia va a ser positiva o negativa. Después determine de qué manera la nueva Palabra Aleatoria afectará a la primera palabra en el sentido predeterminado (positivo o negativo).**

UTILIDAD

Hay muchos tipos de efectos beneficiosos. Uno de ellos es ser útil en una determinada situación.

Una de las funciones importantes de la creatividad es buscar valor y desarrollar «sensibilidad de valor». Esto es importante tanto para evaluar ideas como para generarlas.

PROCESO

1. **Obtenga cuatro Palabras Aleatorias.**
2. **Obtenga una Palabra Aleatoria más.**
3. **Intente mostrar cómo la última Palabra Aleatoria puede ser útil con respecto a cada una de las cuatro primeras palabras.**
4. **Explique sus sugerencias.**

> **NOTA:** El concepto «útil» es bastante amplio. Cualquier beneficio directo sería aceptable. Una influencia conceptual también sería aceptable.

Ejemplo

Las cuatro Palabras Aleatorias son: GRANITO, ARCILLA, GAFAS DE SOL y MÁRMOL.
Nueva Palabra Aleatoria: VAGONETA.
Pensamientos:

- obviamente una vagoneta es útil para transportar mármol, granito o incluso arcilla;
- podría haber un sistema de pulido incorporado a un carrito para pulir suelos hechos de granito o mármol;
- una especie de carrito empujado a mano podría ser de utilidad para enrollar o dar forma a la arcilla en el taller de cerámica, o para aplicar un diseño;
- las vagonetas y carritos tienen cuatro ruedas, y esto podría sugerir cuatro lentes para las gafas de sol. Una posibilidad sería tal vez tener un par de lentes extra que podrían ir sujetas por encima de las dos lentes existentes para los momentos en que haya mucha luz.

Variaciones

1. **Obtenga dos Palabras Aleatorias. Descarte una y use la otra.**

2. **Obtenga dos Palabras Aleatorias y trate de utilizar ambas.**

3. **Obtenga Palabras Aleatorias, una cada vez. Observe de qué manera la segunda palabra podría ser útil para la primera. Después decida de qué manera la tercera palabra podría ser útil para la segunda. Y, por último, determine de qué manera la cuarta palabra podría ser útil para la tercera, y así sucesivamente.**

EN MEDIO

A veces es necesario relacionarse con dos cosas diferentes al mismo tiempo. Este ejercicio se centra en dicha situación.

Es necesario posicionar las cosas de modo que todas las relaciones funcionen.

Proceso

1. **Obtenga seis Palabras Aleatorias.**
2. **En la disposición final hay tres columnas. Cada palabra de la columna del medio se relaciona con la palabra que está a su nivel en la primera columna, pero también con la palabra que está a su nivel en la tercera columna.**
3. **Explique las relaciones.**

NOTA: Puede esperar a tener las seis palabras antes de construir las columnas.

EJEMPLO

Las seis Palabras Aleatorias son: PIZARRA, PERFUME, LEY, COMADRONA, LISTA y OBJETIVO.
Pensamientos:

* posible disposición como se muestra aquí abajo:
  PIZARRA   LISTA LEY
  PERFUME   META COMADRONA
* las listas a menudo se ponen en pizarras; se hacen listas de casos que se van a juzgar en el tribunal;
* el objetivo del perfume es ayudar a las mujeres; el objetivo de la comadrona también es ayudar a las mujeres.

VARIACIONES

1. Construya la primera y última columna utilizando el primer grupo de seis Palabras Aleatorias que ha obtenido. Éstas son fijas y no se pueden cambiar. Obtenga más Palabras Aleatorias, una

cada vez, hasta que haya una que encaje en la columna de en medio. Continúe con las siguientes palabras.

2. Construya la primera columna, que será fija. Obtenga nuevas Palabras Aleatorias para la segunda columna, de forma que cada palabra se relacione con la palabra que está a su nivel en la primera columna. Obtenga nuevas Palabras Aleatorias, una a una, para encontrar palabras que encajen en la tercera columna.

TRIÁNGULO

Éste es otro ejercicio que implica una doble relación. Cada palabra ha de relacionarse con otras dos palabras.

Se emplea el formato de un triángulo.

PROCESO

1. **Obtenga cinco Palabras Aleatorias.**
2. **Seleccione, de éstas, las tres palabras que van a formar el triángulo. Las otras dos se pueden descartar.**
3. **Cada palabra está en un vértice del triángulo y debe relacionarse con las palabras que están en los otros vértices del triángulo.**
4. **Explique las relaciones.**

NOTA: El proceso es bastante difícil con un número limitado de palabras, de modo que la relación
puede ser bastante remota. Sin embargo, intente
crear una relación sólida.

Ejemplo

Las cinco Palabras Aleatorias son: ANILLO, NUBE,
CAZA, VIGAS y VENTA.
Pensamientos:

- «caza» está en la cima del triángulo. «Anillo» y
  «venta» están en los vértices de la base;
- el anillo nupcial significa el final de la caza (para
  ambas partes);
- durante la caza, tanto el novio como la novia están en venta;
- el novio podría tratar de encontrar un anillo en
  unas rebajas y, así, ahorrar algo de dinero.

Variaciones

1. Obtenga cinco palabras más. Puede emplear el
   lado de un triángulo existente para formar un

nuevo triángulo con una palabra nueva (que debe relacionarse con cada una de las palabras con las que está conectada por una línea). «A-B-C» podría ser un triángulo existente y «B-C-E» un triángulo nuevo.

2. Obtenga seis Palabras Aleatorias y dispóngalas por parejas. Obtenga más Palabras Aleatorias, una por una, y trate de convertir las parejas en triángulos.

OBVIO

Hay relaciones obvias y otras relaciones que no lo son tanto. Tenemos que ser conscientes de las relaciones obvias aun cuando intentemos ir más allá de lo obvio. Jamás tendría sentido ignorar deliberadamente lo que es obvio.

PROCESO

1. **Obtenga cinco Palabras Aleatorias.**
2. **¿Qué dos palabras de estas cinco se relacionan entre sí del modo más obvio?**
3. **¿Cuál de las cinco palabras no parece relacionarse con ninguna de las otras cuatro?**
4. **Explique las relaciones.**

Ejemplo

Las cinco Palabras Aleatorias son: NIDO, EN-
FERMERA, BATERÍA, MERCADO DE VALORES y
CINTA.

Pensamientos:

* «cinta» se relaciona con «mercado de valores»
(teletipo). «Cinta» se relaciona con «batería»,
como en la necesidad de pilas para un reproduc-
tor. Las/os enfermeras/os utilizan cintas para una
variedad de fines, como por ejemplo el espara-
drapo. Las aves probablemente utilizarían cinta
para asegurar sus nidos, si pudieran;
* la palabra que menos se relaciona podría ser «batería», que sólo se relaciona directamente con
«cinta».

Variaciones

1. Intente hallar alguna relación entre cada una de
las cinco Palabras Aleatorias. Clasifique cada relación como sólida, débil o remota.
2. Obtenga nuevas Palabras Aleatorias, una cada
vez, hasta que encuentre una que se relacione de
manera obvia con las cinco primeras palabras.

RESCATE

Aquí tenemos una forma de resolución de problemas que implica rescate. Hay una situación difícil y tiene que encontrar una manera de salir de ella, utilizando una de las Palabras Aleatorias que obtenga.

Este ejercicio requiere un pensamiento flexible y también un pensamiento enfocado.

PROCESO

1. **Obtenga cinco Palabras Aleatorias.**
2. **Utilice una de las Palabras Aleatorias para sugerir un problema o crisis.**
3. **Utilice una Palabra Aleatoria distinta para sugerir de qué manera se puede salvar la situación y poner las cosas en su sitio.**
4. **Explique su pensamiento.**

Ejemplo

Las cinco Palabras Aleatorias son: CALOR, BRO-
CHE, PASIÓN, GUSANO y COLMILLO.
Pensamientos:

- hay una crisis de pasión. Una joven dama no está
  muy complacida con su joven amante, que ha salido con otra mujer;
- el regalo de un broche de diamantes que el joven
  hace a su dama salva la situación.

Variaciones

1. Obtenga una Palabra Aleatoria más y utilícela
   para generar una nueva dificultad que debe ser
   «salvada» empleando las cinco primeras palabras.
2. Utilice dos de las Palabras Aleatorias para resolver el problema.

MULTIPLICAR

Este ejercicio implica asociaciones y conceptos de libre flujo. El acento se pone en la expansión y las posibilidades, aunque sean remotas.

PROCESO

1. **Obtenga tres Palabras Aleatorias.**
2. **Por cada una de estas Palabras Aleatorias, produzca diez palabras más que tengan algún tipo de relación con esa palabra. Dicha relación puede ser por asociación, concepto, valor, componentes, etc.**

NOTA: **Cuanto más estrecha sea la relación, mejor. Decir que dos artículos están relacionados porque ambos se pueden encontrar en tiendas es bastante vago.**

EJEMPLO

Las tres Palabras Aleatorias son: AMENAZA, PIN-UP[1] y FUELLE.
Pensamientos:

- **para «fuelle» podríamos tener: fuego, aire, avivar, oxígeno, bomba, combustión, fabricación de acero, energía humana, cronometraje, control;**
- **para «pin-up» podríamos tener: glamour, revista, chica, atracción, sexo, belleza, aspiración, imagen, modelo de rol, pose;**
- **para «amenaza» podríamos tener: presión, fuerza, exigencia, chantaje, futuro problema, creíble o no, oculta u obvia, persona conocida o desconocida, escala de tiempo.**

---

1. Fotografía más o menos erótica de una chica atractiva en una revista. (*N. del t.*)

Variaciones

1. **Permita que cada palabra genere solamente tres nuevas palabras. No obstante, cada una de las nuevas palabras debe generar otras tres palabras. Y así una vez más.**

2. **Permita sólo «palabras de acción».**

SEGUIR ADELANTE

Otro ejercicio enfocado en las relaciones sólidas. Aunque es usted quien tiene que encontrar las relaciones. Quizá no sean evidentes. Pueden ser relaciones de valor, relaciones de concepto, relaciones de uso, etc.

PROCESO

1. **Obtenga una sola Palabra Aleatoria.**
2. **Obtenga una segunda Palabra Aleatoria. Si puede mostrar una relación sólida con la primera palabra, siga adelante y obtenga otra Palabra Aleatoria.**
3. **Mientras pueda mostrar una relación sólida con la palabra anterior, continúe.**
4. **Explique sus relaciones.**

> **NOTA: Es usted quien tiene que decidir si su relación no es lo bastante sólida y, por tanto, terminar el juego.**

EJEMPLO

Primera Palabra Aleatoria: CAMARERO.
Segunda Palabra Aleatoria: AVISPA.
Relación:

- **ambos merodean en torno a la comida y van bien vestidos.**

Tercera Palabra Aleatoria: ABUELA.
Relación:

- **con «avispa»: puede ser mentalmente incisiva y aguda y capaz de infligir daño.**

Cuarta Palabra Aleatoria: TORRE.
Relación:

- **posiblemente que una abuela puede ser un gran apoyo. Poco convincente, así que el juego termina.**

Variaciones

1. **Obtenga dos Palabras Aleatorias de una vez, pero utilice sólo una y descarte la otra.**
2. **Lleve dos juegos, o líneas, en paralelo. Añada la nueva palabra a la una o la otra.**

AUTOMATIZAR

¿Qué se puede automatizar?

Es necesario que piense en valor y factibilidad.

Tiene que pensar en cómo funcionaría algo en la práctica. ¿Merece la pena hacerlo?

PROCESO

1. **Obtenga cuatro Palabras Aleatorias.**
2. **Compruebe, con cada una de las Palabras Aleatorias, si podría automatizarse todo el proceso o alguna función clave.**
3. **¿Cuál sería el valor?**

EJEMPLO

Las cuatro Palabras Aleatorias son: PLÁSTICO, CHOQUE, PAYASO y TAXI.

Pensamientos:

- el proceso de fabricación de plásticos está ya considerablemente automatizado;
- algún sensor en el coche que pueda predecir choques inminentes y prevenirlos. Esto no se aplicaría a todos los choques pero podría, por ejemplo, prevenir los choques resultantes del adormecimiento del conductor;
- unos payasos robot en los centros comerciales. Dichos payasos podrían contar chistes y contestar preguntas sencillas con una respuesta graciosa de entre un repertorio estándar;
- petición e itinerarios automatizados de taxis. Aceptación directa de tarjetas de crédito en el propio taxi.

VARIACIONES

1. Observe si hay una función común a las cuatro Palabras Aleatorias que se pueda automatizar.
2. Obtenga seis Palabras Aleatorias y descarte dos.
3. ¿Podría un teléfono móvil ayudar en alguna de las funciones de las Palabras Aleatorias obtenidas?

CUENTO DE HADAS

Estamos escribiendo un cuento de hadas para niños. ¿Cómo incorporar rasgos obtenidos aleatoriamente? ¿De qué modo podrían éstos contribuir al cuento?

PROCESO

1. **Obtenga cuatro Palabras Aleatorias.**
2. **Incorpore estas cuatro palabras a un cuento infantil.**

NOTA: El cuento debe incluir los cuatro artículos como tales, no simplemente un concepto derivado de la Palabra Aleatoria. No basta con decir que Peter caminaba por la carretera y vio esto y luego vio aquello, etc. Los artículos han de incorporarse plenamente.

EJEMPLO

Las cuatro Palabras Aleatorias son: BOUTIQUE, ANTITUSIVO, VERSO y SAUNA.

Pensamientos:

- Lucy tenía un fuerte catarro y tenía que tomarse un antitusivo. Sabía muy mal. Su madre le dijo que, si no se tomaba la medicina, tal vez tendría que ir a una sauna para que le ayudase con el catarro. Lucy aún odiaba más la sauna, sobre todo el vapor caliente. Entonces tuvo una idea. Sugirió que por cada cucharada de antitusivo que tomase debía obtener algunos puntos. Cuando tuviese suficientes puntos, irían a la boutique y se comprarían algunas prendas bonitas. Si a su madre no le gustaba la idea, tendría que decir en verso por qué no le gustaba. Lucy se salió con la suya, pero tuvo que tomarse la medicina.

VARIACIONES

1. Una vez que tenga el cuento, obtenga otra Palabra Aleatoria e intente encajarla en él.
2. Obtenga seis Palabras Aleatorias y, luego, descarte dos y use las cuatro restantes.

JUEGO 61

PARTE

Las cosas existen por derecho propio, pero también pueden formar parte de algo más. Parte del proceso de diseño consiste en juntar cosas para obtener un valor.

En este ejercicio, es preciso que determine si algo podría ser parte de alguna otra cosa y si añadiría valor.

PROCESO

1. **Obtenga cinco Palabras Aleatorias.**
2. **Determine si alguna de estas palabras (el artículo) podría formar una parte real de la operación de alguna de las otras palabras.**
3. **Explique lo que piensa y muestre algún valor.**

NOTA: En la medida de lo posible, el artículo debería utilizarse directamente y no simplemente como un concepto de dicho artículo. Su uso debe mostrar algún valor añadido.

Ejemplo

Las cinco Palabras Aleatorias son: LÁSER, TOSTADA, CEJA, BESO y DEDOS DE LOS PIES.
Pensamientos:

- un láser podría formar parte de una tostadora para avisar si la tostada ya está hecha;
- las cejas o los dedos de los pies podrían formar parte de un beso, si el beso estuviese dirigido a ellos;
- cortarse las uñas con láser podría ser una posibilidad remota.

Variaciones

1. Si las Palabras Aleatorias originales no parecen adecuadas, obtenga cinco palabras nuevas.

2. **Obtenga una Palabra Aleatoria. Continúe obteniendo otras, una cada vez, hasta que encuentre una palabra que pueda llegar a formar parte de la primera que ha obtenido.**

TITULARES

Otro ejercicio de diseño. Los titulares tienen que ser informativos, llamar la atención y ser intrigantes. Aunque los diversos artículos pueden hablar de lo mismo, la diferencia puede estar en los titulares.

PROCESO

1. **Obtenga cuatro Palabras Aleatorias.**
2. **Escriba un titular de periódico que incorpore directamente dos de las Palabras Aleatorias. Escoja usted mismo la situación.**

NOTA: Las palabras deben utilizarse directamente en su forma original.

Ejemplo

Las cuatro Palabras Aleatorias son: BAILE, PALA-
BRA, BAR y DIRECCIÓN.

- **UN BAILE EN LA DIRECCIÓN EQUIVOCA-
  DA.** Un grupo de gente se presentó para asistir a
  un baile en la dirección equivocada. Había un
  baile, pero no el que ellos esperaban. Hubo una
  riña que degeneró en una reyerta general y se
  tuvo que llamar a la policía.
- **EL BAR SIN UNA PALABRA.** El gerente de un
  bar decidió introducir una «hora silenciosa». Durante dicha hora, los clientes podían beber todo lo
  que quisieran pero no podían hablar. Podían co-
  municarse por señas, si querían. El consumo de
  cerveza aumentó de un modo espectacular.
- **EL TÍPICO BAILE DE PALABRAS.** Aunque el
  comunicado ofrecido al final de una conferencia
  negociadora estaba lleno de palabras, apenas de-
  cía nada. El ministro de Asuntos Exteriores lo
  describió como «el típico baile de palabras».

Variaciones

1. **Trate de incorporar tres o incluso cuatro palabras a su titular.**

2. Escoja una de las palabras obtenidas para incluirla en su titular. Después obtenga otras dos Palabras Aleatorias y añádalas también.

3. Utilice una de las Palabras Aleatorias para sugerir la situación a la que se refiere el titular.

CONCLUSIÓN

A estas alturas, ya habrá hecho todos los ejercicios del libro sistemáticamente. No sirve de mucho leerse el libro en busca de conocimiento ni descubrir cómo termina la historia. Eso es como ir a un gimnasio a ver cómo otros hacen ejercicio.

Si ha realizado todos los ejercicios de una manera disciplinada y sistemática, habrá desarrollado las técnicas y los hábitos del pensamiento creativo. Hay quienes creen que cualquier enfoque disciplinado o sistemático es lo opuesto a la creatividad. Esta opinión es una estupidez y muestra una falta de comprensión de la naturaleza fundamental del pensamiento creativo como la conducta de un sistema de información auto-organizado que crea patrones asimétricos.

Hay 62 juegos/ejercicios en el libro. Es decir: 52 + 10, lo que sugiere que usted podría, si quisiera, hacer un ejercicio por semana. Los diez ejercicios extras son para el caso en que se sienta con energía sobrante y quiera hacer más de un ejercicio en una semana.

Utilice cada ejercicio (juego) una y otra vez. Inserte sus propios problemas y situaciones. Esto no es como un rompecabezas donde uno tiene que hallar la respuesta. El propósito de la actividad es la práctica de las técnicas creativas.

A lo largo del libro, habrá practicado tanto la creatividad perceptiva como la creatividad constructiva.

La creatividad perceptiva conlleva ver las cosas de distintas maneras, y extraer conceptos. Conlleva extraer valores. Conlleva crear relaciones y asociaciones.

La creatividad constructiva significa poner cosas juntas para aportar valor. Esto es el «pensamiento de diseño». Si bien la educación se centra en gran medida en el análisis, no le dedica prácticamente ninguna atención al pensamiento de diseño. Y, sin embargo, la vida y el progreso humano dependen del pensamiento de diseño. El análisis es importante, del mismo modo que la rueda izquierda trasera de un coche es importante, pero no es suficiente.

Usted debería ser capaz de volver al libro una y otra vez para repetir los ejercicios (empleando distintos problemas). Esta obra es como un gimnasio donde se pueden practicar los hábitos y las técnicas del pensamiento creativo.

UNA HERRAMIENTA PODEROSA

El proceso de las Palabras Aleatorias sobre el cual está construido este libro es simplemente una de las poderosas herramientas del pensamiento lateral, que es un proceso que inventé en 1967. Este proceso se utiliza ahora en muchos lugares y la expresión «pensamiento lateral» tiene una entrada en el Diccionario Oxford de la lengua inglesa.

Hay otras herramientas poderosas del pensamiento lateral, como: el desafío; la extracción de conceptos; el abanico de conceptos; la provocación y el movimiento, entre otras. Todas ellas se describen en algunos de mis libros, especialmente en *Pensamiento lateral. manual de creatividad* (Barcelona, Paidós, 1991), libro de *Lateral Thinking for Management and Serious Creativity*.

El pensamiento lateral es creatividad seria y sistemática. No es ser diferente porque sí. No se basa en sentarse en la orilla de un río y tocar música barroca. No es cuestión de enredar un poco en una sesión de lluvia de ideas (*brainstorming*). Hay herramientas y procesos formales que pueden utilizarse deliberadamente y con disciplina. Estas herramientas se basan en un entendimiento de los sistemas de información auto-organizados, tal como se describen en mi libro *The Mechanism of Mind* (El mecanismo de la mente), 1969.

Por primera vez en la historia del hombre, podemos tratar la creatividad como una técnica mental y no sólo como una cuestión de talento o inspiración.

PROVOCACIÓN

De alguna manera, el proceso de las Palabras Aleatorias es un ejemplo de provocación.

En el pensamiento normal, es necesario que haya una razón para decir algo antes de decirlo. De otro modo, el resultado no tiene sentido.

Con la provocación, puede que no haya una razón para decir algo hasta después de haberlo dicho.

Desarrolle sus técnicas de pensamiento creativo. ¡Depende de usted!

TABLAS DE
PALABRAS ALEATORIAS

TABLA 1

	1	2	3
1	FRENOS	TIBURÓN	CARACOL
	PARACAÍDAS	POZO	JABÓN
	SEÑAL DE TRÁFICO	BOMBA	BAÑO
	SONRISA	LENGUA	TROFEO
	NUBE	OREJAS	CARRERA
	DIENTE	RADIO	ENERGÍA
2	VOTO	CUCHILLO	DEDOS DE LOS PIES
	CUBO	SOPA	MASAJE
	SALTO	HELADO	BOLÍGRAFO
	PERIÓDICO	TELÉFONO	BANDERA
	RANA	GRITO	SARDINA
	MAR	ABOGADO	SALSA
3	HIELO	PUENTE	CARTA
	CABALLO	BUCEADOR	ORDENADOR
	EXAMEN	CAÑA	FUNERAL
	ROBOT	AZÚCAR	DESFILE
	TELEVISIÓN	RATÓN	BANDA
	TAZA	PULGA	TAMBOR
4	HIERBA	REY	BARRERA
	SERPIENTE	MOQUETA	PICNIC
	SALÓN DE BAILE	TROMPETA	CERVEZA
	LLAVE	LÁMPARA	MENDIGO
	LÁPIZ	CABLE	MULETA
	TRIBUNAL	MARTILLO	BARBA
5	LIBRO	PUERTA	TITULAR
	PRISIÓN	TEJADO	SACO
	BAILE	ESCALERA	PATATA
	COMIDA	JARDÍN	MARGARITA
	TIENDA	SILLA	CIGARRILLO
	TORRE	CIRCO	LÁPIZ DE LABIOS
6	SÁBANA	PAYASO	RUIDO
	CUADRO	POLÍTICO	ZAPATOS
	ROSA	ESCRITORIO	CORDEL
	CACTUS	SOBORNO	PRISIÓN
	DESIERTO	AGENTE DE POLICÍA	BAÑO
	PEZ	ESTATUA	SAL

4	5	6
ISLA	TELÉFONO MÓVIL	MANERAS
PALILLO DE DIENTES	PUBLICIDAD	AMENAZA
BACTERIAS	BAR	INSULTO
DOLOR DE CABEZA	VOLANTE	SUBMARINO
AVIÓN	SILLA DE RUEDAS	AVESTRUZ
VENTANA	HOSPITAL	JIRAFA
TENIS	PASTILLA	UNIVERSIDAD
PELOTA	COMADRONA	FARMACIA
PIEL (de animal)	REVISTA	CUELLO
HUMO	PIN-UP (foto de chica)	BESO
GAFAS	RATÓN	ELEFANTE
WHISKY	CAFETERÍA	TEATRO
JAZZ	CARRERA	SOLDADO
ÓPERA	ESCALERA PORTÁTIL	RASCACIELOS
ARAÑA (lámpara)	GUERRA	TREN
FANTASMA	CURRY	ASCENSOR
IGLESIA	HONGO	VINO
SANTO	LÁPIZ DE LABIOS	ESTÓMAGO
CARPINTERO	ZOO	SARPULLIDO
SIERRA	ESQUINA	TRAPECIO
DESTORNILLADOR	DADOS	LEY
ARENA	APUESTAS	CHISTE
VOLCÁN	NAVIDADES	MOSQUITO
PLAYA	DÍA DE FIESTA	FUEGOS ARTIFICIALES
BIQUINI	CHICLE	SOMBRA
BEBÉ	CAMPANA	DOLOR
LUNA	MESA	RISA
VINO	CAFÉ	TUMBA
PAN	CARNAVAL	ESPUMA
PELO	CRUCERO	OLA
QUESO	CHOCOLATE	BOXEO
GATO	BODA	CORONA
DINOSAURIO	RONQUIDO	ESCUELA
CANGURO	PÁJARO	DICCIONARIO
FUEGO	GOLF	BANCO
VIENTO	TENEDOR	ABANICO

TABLA 2

	1	2	3
1	BILLETERA	POLLO	TURISTA
	SALCHICHA	MECANÓGRAFO	MARINERO
	ÁGUILA	MANTA	DESTORNILLADOR
	CORDEL	PISCINA	ZAPATILLA
	HUEVO	TETERA	YATE
	OSTRA	PIMIENTA	AGUJA
2	PILOTO	MANTEQUILLA	INTERNET
	LADRILLO	DENTISTA	TAMIZ
	BOMBERO	MÁRMOL	SEMÁFORO
	INGENIERO	MÁSCARA	ESTRELLAS
	GRÚA	COLUMPIO	CADENA
	GANCHO	BOLSA DE VALORES	FLECHA
3	CARACOL	FERROCARRIL	GANANCIA
	CACEROLA	CANCIÓN	ESPERANZA
	COLLAR	BALANCÍN	IMPUESTO
	BOLITA	TERMÓMETRO	FÚTBOL
	CUCHARA	TIJERAS	HUMO
	PLATO	BALDOSA	BREA
4	MUÑECO	CHAQUETA	DRAGÓN
	CALCULADORA	CINTURÓN	CAJA FUERTE
	TARJETA	BOTÓN	TINTA
	MANO	CREMALLERA	ESTADIO
	HORNO	SERVILLETA	TIOVIVO
	ÁRBITRO	BOTELLA	PIANO
5	ATLETISMO	RÍO	MEDALLA
	CERVEZA	SALMÓN	FICHAS
	BAR	ETIQUETA	HELADA
	RADIADOR	CD	PLÁTANO
	CUADRO	MICRÓFONO	ELECCIONES
	SOBRE	ESPINA DORSAL	EPIDEMIA
6	PRÉSTAMO	NATILLAS	BURRO
	TIBURÓN	CRISTAL	VAGÓN
	PULGA	TELAR	ESPADA
	MERCADO	SILBATO	COMETA
	HAMBURGUESA	FRUTOS SECOS	CORBATA
	PÓSTER	ASPIRINA	GIMNASIO

4	5	6
CORO	CAMIÓN	TRAVESURA
NEUMÁTICO	TABLA DE PATINAR	KÉTCHUP
AGUJA (de torre)	PAVO	CONCIERTO
BARRO	CREP	COLA (de espera)
ACANTILADO	RADAR	SÁBANA
TOPO	PLÁSTICO	BOMBILLA
CHIMENEA	INTERRUPTOR	TORTUGA
COCINA	ESTUDIO (encuesta)	LÁSER
TABLA	OMBLIGO	CORTINA
ABEJA	ÁNGEL	BILLETE (tique)
PERIODISTA	CENTINELA	AUTOBÚS
ESCORPIÓN	OBISPO	BALA
TÚNEL	MAGO	REVUELTA
PELUCA	PIRULÍ	FAMILIA
SANDALIAS	JARRÓN	EMPRESA
BIGOTE	PEINE	BANDA (de hombres)
ENTRECEJO	CUCHILLA DE AFEITAR	TRAMPOLÍN
ALMOHADA	TELESCOPIO	GNOMO
PULPO	PLANETA	BISAGRA
BAR	ESPAGUETI	PANTALONES
JUEZ	PANCETA	BARCO DE GUERRA
INFORME	CHAMPIÑÓN	PICHÓN
LORO	SEMILLA	GENERAL
ATAÚD	CAMELLO	ESPÍA
CUMPLEAÑOS	DEPÓSITO	GUIJARRO
APLAUSO	PUNTO (de lana)	TRABAJO EN RED
DIARIO	PERFUME	CHULO
ESTANTE	MUSGO	TRUENO
MICROSCOPIO	GUITARRA	TORMENTA
HADA	RULETA	ALMIAR
GIGANTE	CARRETILLA	SILLA DE MONTAR
CORRIDA DE TOROS	ESPANTAPÁJAROS	RABO
SATÉLITE	MIEL	ARAÑA
RUMOR	CEREAL	PIRÁMIDE
PAÑUELO DE PAPEL	MOSTAZA	BIBLIOTECA
CARBÓN	MUELLE (de puerto)	JUGUETE

TABLA 3

	1	2	3
1	CALABAZA	SAXOFÓN	MUSULMÁN
	MONTAÑA RUSA	CEBRA	TRACTOR
	NIÑERA	CHAPA (en solapa)	MARIQUITA
	VACA	LICENCIA	CEREZA
	BATIDO	SUICIDA	MONJA
	ESTRATEGIA	BALLENA	JURAMENTO
2	PENSIÓN	BOTAS	GRAPA
	BUZÓN	UNIFORME	TECHO
	PRADERA	CAPITÁN	HOGAR (de chimenea)
	PASTA ITALIANA	BLANCO (objetivo)	ARMARIO
	BUDÍN	BATA	PARAGUAS
	PASIÓN	NARANJA	TIENDA DE CAMPAÑA
3	TAPIZ	VENTA (de vender)	VELA
	SOFÁ	BOLSA DE PAPEL	FICHERO
	EJECUTIVO	RAYOS X	VÍDEO
	FAX	TRAMPA	AJEDREZ
	MENSAJERO	ENFERMERA	BOTÓN
	CONFERENCIA	MEDICINA	NOTICIAS
4	ESTACIÓN	FOTOCOPIADORA	PLATILLO
	ESPACIO	PELÍCULA	PUBLICIDAD
	BOLSILLO	ALTAVOZ	CORTINA
	POLVO	LÍDER	FOCO
	ESTRELLA	COCINERO	CALZADOR
	COMETA	ALARMA	PARLAMENTO
5	PRIMAVERA	LANGOSTA	PUESTA DE SOL
	CASCADA	PAÑUELO	ANILLO
	BOSQUE	ESTORNUDO	COMITÉ
	TIGRE	FIEBRE	OFERTA
	MONO	TOS	ALUMINIO
6	CERILLA	CAJA	HATILLO
	META	COLADA	SOFTWARE
	DIBUJAR	GRADO	COMEDIA
	MULTITUD	MANCHA	TRAGEDIA
	CARAMELO	ACEITE	ESPUMA
	BASURA	LATA	HIERRO

4	5	6
ARRENDAJO	CERÁMICA	LATÓN
DONUT	GAMBAS	CUERO
BAHÍA	TIMÓN	BODEGA
ALGAS	NAVEGAR	CEPILLO DE DIENTES
SIRENA (de mar)	REMO	TABURETE
CANGREJO	MÁSTIL	IMPRESORA
CUCARACHA	DROGA	CÓCTEL
TINTA	CAMARERO	CARRETA
PIEL	REACTOR	SECUESTRAR
ESCAMAS	MANGUERA	BODEGA
GANGA	BARRIL	ENTRENADOR
ÁTICO	GRIFO	TRAGALUZ
CONSUMIDOR	GARANTÍA	MENTA
ARMARIO ROPERO	SELLO	MONEDA
CAJERA	DIRECCIÓN	BOLSILLO
ALMACÉN	BICICLETA	LAZADA DE ZAPATO
CIMIENTO	PREMIO	ESPIGA
FÓRMULA	PLUS	ALFOMBRILLA
ITALIA	VIOLÍN	VALLE
INDIA	GUILLOTINA	COL
EGIPTO	RESBALAR	PEPINO
CHINA	BROCHE	MELÓN
ESTADOS UNIDOS	CLIP	CARDO
RUSIA	CLAVO	TORNADO
LANA	GORRA	FOTOGRAFÍA
PELIGRO	ORDEN	VELCRO
ESPERANZA	EMPAQUETAR	ZANAHORIA
TARJETA DE CRÉDITO	PROMOCIÓN	VITRINA
CHEQUE	GUANTES	RECHAZADO
MODA	CEJA	PANTALLA
PORTERO	CANDADO	PARQUÍMETRO
COLGADOR	PIMIENTA	BOYA
EQUIPAJE	BALCÓN	ENSALADA
OFICIO	COLCHÓN	PRENSA
TRANSBORDADOR	GRITO	CALCETINES
SUJETADOR	SEÑAL	CINTURÓN

TABLA 4

	1	2	3
1	PASTEL DE MANZANA	EXAMEN	CASITA DE PERRO
	ROSAS	PRUEBA	ALMACÉN
	CANALÓN DE DESAGÜE	MÚSCULO	CEMENTERIO
	PSIQUIATRA	RESISTENCIA	GÓNDOLA
	CARNICERO	CEBO	BATUTA
	PAPILLA DE AVENA	GORRIÓN	DIRECTOR
2	CASA DE CAMPO	ENCHUFE	ORQUESTA
	HERRADURA	BARREÑO	HIMNO
	POLILLA	TIJERAS DE JARDÍN	SERMÓN
	GENERADOR	MARCO	POEMA
	FUSIBLE	TOSTADA	JUDÍAS
	MOTOCICLETA	PIZARRA	ESPINACA
3	AMBULANCIA	SALTO DE ALTURA	CAPITAL
	ANTENA	LUZ DE NEÓN	POBREZA
	BRÚJULA	CÓDIGO	AYUDA
	GALERÍA	ALFABETO	RESCATE
	PALACIO	TERMOSTATO	ADIVINANZA
	FRIGORÍFICO	CARDADOR	RITMO
4	PIJAMA	TRANVÍA	NIDO
	SELLO (marca)	ESTIÉRCOL	NOCHE
	CESTA	ESTACIÓN DE AUTOBÚS	PAÑAL
	GASEOSA	PISTA DE DESPEGUE	NORTE
	SINDICATO	DETECTOR DE METALES	RED
	BANCO (de asiento)	ESMALTE DE UÑAS	NILO
5	MANICOMIO	ENCICLOPEDIA	MÁQUINA
	GATITO	MENÚ	MONSTRUO
	TRONO	RAVIOLI	MORA
	EXCAVADORA	VOLANTE DE MÁQUINA	ÁCARO
	MINERO	AMPLIFICADOR	MACHO
	FLORISTA	ÁLBUM	LÍO
6	MECEDORA	CANTANTE	PIEDRA
	MALETÍN	COJO	SISTEMA
	CAMISA	RANGO	SILO
	FALDA	PREMIO	CORDURA
	ALICATES	CORDEL	FORMA
	CAMALEÓN	CINTA ADHESIVA	PANTALÓN CORTO

4	5	6
VENENO	VOTACIÓN	CARRITO
TÓNICA	ESCALADA	CENTRO COMERCIAL
SEDANTE	CUMBRE	COMPRAS
CAFEÍNA	MOCHILA	DESCANSAR
CHAMPÁN	PUNTA (de bolígrafo)	MOTEL
VITAMINAS	REMOLQUE	SERVICIO
TÍTULO	GUANTES DE BOXEO	INDIO
BAILE	ESPEJO	VAQUERO
GENIO	CONTROL REMOTO	LAZO
ENGAÑO	COMER	TEXAS (estado)
DERECHOS DE REPRODUCCIÓN	NATACIÓN	CUEVA
COMPOSITOR	TIROTEO	ALGAS
CLASE	ANCIANO	LUCHA
CERTIFICADO	PROFETA	PAZ
CACAHUETE	LADRÓN	INSULTO
PATATAS FRITAS	GANADOR	VENGANZA
ABRIGO	ORGULLO	VUELO
CACHIPORRA	OTOÑO	ATAQUE
NOTICIAS	NAVE ESPACIAL	VIGAS
PLANIFICACIÓN	BALANCE	EXCAVACIÓN
PREPARACIÓN (educación)	RUMOR	ANDAMIO
MAPA	CHISMORREO	ALFOMBRILLA
TIEMPO (climático)	DATO	HORMIGÓN
LLUVIA	PREJUICIO	ARQUITECTO
NIEVE	RUIDO	JARDÍN
NIEBLA	SILENCIO	FUENTE
AMPOLLA	CALMA	VERJA
INSOLACIÓN	JUSTICIA	CELOSÍA (para plantas trepadoras)
LÁSER	DIVORCIO	PLANTA TREPADORA
GAFAS DE SOL	CELOS	FERTILIZANTE
CONTABLE	GUSANO	ANTITUSIVO
FLAMENCO	TURBA	LAXANTE
BOSQUE	TIESTO	BUFANDA
PRADO	ACEBO	CALCETINES
ARROYO	HIEDRA	BASTÓN (para caminar)
GUIJARRO	HALCÓN	PAPEL HIGIÉNICO

TABLA 5

	1	2	3
1	CERDA (hembra de cerdo)	TOBILLO	ENCUADERNADOR
	SOUVENIR	ÁNGULO	JARANA
	PALA	TAZÓN	BRIDA (de caballo)
	COSTILLA	ARCO	CHIP
	CHISPA	BOUTIQUE	CHIMPANCÉ
	LLAVE INGLESA	CRUASÁN	CAMPANADA
2	CUADRADO	EDIFICIO	CULTO
	PLANTILLA (de empleados)	ENSAYO (escrito)	CUBO (geométrico)
	ESCENARIO	ESCAPADA	BOCAMANGA
	RAZÓN	HIERBA AROMÁTICA	PATO
	RECIBO	HERALDO	GRADO
	LECTURA	HERÉTICO	TIERRA
3	REGAZO	ESCALERA PORTÁTIL	DINAMO
	ZUMO	ENCENDEDOR	ELÁSTICO
	CHATARRA	FARO (de mar)	EGO
	JUDO	OMBLIGO	ESMERALDA
	FÁBRICA	NÚMERO	DESMAYO
	JUSTO	GUARDERÍA	CUENTO DE HADAS
4	ANOCHECER	FE	GRANIZO
	MAL	DEDO	DÍA FESTIVO
	DOCTRINA	TRINEO	JAMÓN
	CEBO	FLASH	BARRA DE PAN
	CAPA	GANSO	BUHARDILLA
	CLAVO (especia)	GRANITO	HUÉSPED
5	CHINA	GRADUADO	AVARO
	CAPA	CAZA	ERROR
	ARCILLA	IDIOTA	MODELO
	CRETONA	ICONO	CANDADO
	TABLA (de datos, etc.)	POSADA	BLOC
	GRASA	DAÑO	PAVO REAL
6	BINGO	INVENTO	CODORNIZ
	AROMA	ALEGRÍA	CANTERA
	ARSÉNICO	CHICO	REINA
	HORMIGA	LÍMITE	COLCHA (de retales)
	ALTAR	PATÁN	RECETA
	GRÁFICO	LUNÁTICO	RESULTADO

4	5	6
SUSTANTIVO	FLOTA	CRISIS
NOVELA	FINANZAS	DECORADOR
NOVATO	CARNE	ARTILLERÍA
PORCHE	FRAILE	ARTISTA
PARQUE	HÁBITO (prenda)	BABERO
FIESTA	ABUELA	BIBLIA
PERCHA (de gallinero)	RESPIRACIÓN	CÁNCER
MONTÓN	BESTIA	CABRIOLA
PASTEL	BRISA	UNIVERSIDAD
PILAR	ARBUSTO	COLONIA (lugar)
ALFILER	MANTEQUILLA	CORONACIÓN
GRANO (en la piel)	CAÑÓN	TIARA
CONTRATO	HOJA	TITULAR
MAÍZ	LIMÓN	RIESGO
CADÁVER	LANGOSTA (insecto)	MICROBIO
CUNA	LORD	LOCO
CORTESANO	ÓVALO	MAÑANA
VALENTÍA	ALMUERZO	MORAL
HISTORIETA	ESPATO	PLATO
COMANDANTE	TACÓN ALTO	PLANETA
COLOR	BABUINO	SALÓN
MIGAS	CULPA	SALIVA
LLORAR	CABAÑA	SALARIO
CORTEZA	TELA ESCOCESA	VENTA
ENTRADA	BURBUJA	CINTA
ENZIMA	INTERLUDIO	ESTAMPIDA
ERROR	MÚSICA	ESTRELLATO
ESCALERA MECÁNICA	COMETA	TURISTA
EXILIO	RUBIO/A	TORRE
MODA PASAJERA	BIBLIA	TORTURA
FATIGA	CINCEL	GIRA
DEFECTO	AMANTE	TORTUGA
TARIFA DE BILLETE	OLIVA	COLMILLO
GRANJA	PODER	TAREA
PADRE	CRÍTICO	MADERA
BANQUETE	VALOR	PALABRA

TABLA 6

	1	2	3
1	DEBER	CIELO	DIRECTOR
	CREPÚSCULO	FIRMA	IMPRESORA
	ROPA VAQUERA	GABARDINA	GANANCIA
	FIGURA	SACERDOTE	SALVADOR
	FICHERO	PRECIO	SALCHICHA
	ALETA (de pez)	PARANOIA	SENADOR
2	JUEGO	TRAMPILLA	CIRUJANO
	GALAXIA	INMIGRANTE	SUMINISTROS
	PATÍBULO	GENGIBRE	SUPERFICIE
	AJO	GAS	TRAMPA
	JARRA	FUERZA	TERMITA
	JURADO	FLIRTEO	VIAJE
3	RIÑÓN	IMPERIO	REHÉN
	PISCINA	COCHES DE CHOQUE	RESCATE (dinero)
	TERRÓN	CORONA	CABALLO DE POTENCIA
	MENSAJE	SIDRA	HOSPITAL
	RECUERDO	CAPILLA	HORA
	MÉRITO	SANGRE	CUERNO
4	VALS	BANDIDO	HOJA
	CAMISETA	ENSAYO (preparatorio)	ÁREA DE REPOSO
	VERANO	ÁREA DE JUEGOS	CÉSPED
	AZÚCAR	MARIPOSA	PLOMO
	REBELDE	ORUGA	SANGUIJUELA
	PIRATA	CORCHO	LENTEJA
5	PASAPORTE	BENEFICIO	OCIO
	MITO	FUELLE	SUELA
	CORDERO	PALOMA	LENTE
	MIMO	DELFÍN	LEYENDA
	MILLA	BEBER	HOBBY
	ALOJAMIENTO	GUÍA	CARRIL
6	ARENQUE AHUMADO	CULPA	LEÑO
	QUIOSCO	GUITARRA	MOLINO
	JUNTA	MEDIDA	ENANO
	CHISTE	OLIMPIADAS	MIGRAÑA
	HIGIENE	PERA	MENTE
	BOLSO	GUISANTE	MINUTO

4	5	6
PARAÍSO	ANTIGÜEDAD	ARPA
PANTERA	ARITMÉTICA	SALTAMONTES
PASTELES	ESQUÍ	PRESIDENTE
BRAGAS	APETITO	MENSAJERO
PARÁSITO	APLAUSO	PLATO CALIENTE
PARROQUIA	ARCO	PAJA
SALA DE ESTAR	ACUARIO	RIZO
PROGENITOR	BRAZO	PARADA DE AUTOBÚS
REFUGIADO	ARMAS	VENDA
REFERÉNDUM	ARTRITIS	YESO
REFORMA	CENIZAS	ESTOFADO
RENO	ASNO	CEBOLLA
REGIÓN	BAYA	CHOQUE
REMEDIO	ICEBERG	TUMBONA
PRIMO/A	ESCARABAJO	AYUDA
RELIGIÓN	APUESTA	ACCIDENTE
REPÚBLICA	CUENTA (que pagar)	CHAMPÚ
INVESTIGACIÓN	RECIPIENTE	BARNIZ
SEXO	VALOR	PÓQUER
MAREADO (en barco)	FURGONETA	MÁQUINA TRAGAPERRAS
GAVIOTA	HORTALIZA	BARBERO
ASIENTO	VERSO	VINAGRE
BÚSQUEDA	VETERINARIO	TENAZA
SEGUNDO	VICIO	PINTADA
SECCIÓN	VIUDA	MONEDERO
ESPONJA	SABIDURÍA	NATA
ESCUPIR	BRUJA	MAREA
ESPÍRITU	LOBO	RIADA
TATUAJE	PREOCUPACIÓN	TSUNAMI
PASTEL DE FRUTAS	TRABAJO	CALAMAR
LÁGRIMA	SATANÁS	ANCLA
IMPUESTO	CICATRIZ	DENTADURA POSTIZA
TAXI	VIEIRA	RINOCERONTE
PROFESOR/A	ESCÁNDALO	RECOMPENSA
BOLSITA DE TÉ	BUFANDA	CASTIGO
OSITO DE PELUCHE	HORARIO	FIN

MAPAS DE NÚMEROS

6	5	4	3	2	1
3	5	6	1	4	2
2	4	6	1	5	6
1	3	4	2	5	6
2	4	5	3	1	6
4	2	1	5	6	3
5	2	6	3	1	4
3	2	1	5	6	4
6	5	3	1	2	4
6	3	2	1	4	5
2	5	3	6	2	1
4	1	2	5	3	6
5	4	3	2	6	1
6	1	4	2	3	5
4	1	6	3	2	5
2	5	4	3	1	6

1	2	3	4	5	6
6	2	3	1	5	4
5	4	3	2	1	6
1	3	5	2	6	4
6	4	5	2	1	3
3	2	4	6	5	1
6	5	4	3	1	2
2	4	3	5	1	6
3	1	2	6	5	4
5	4	2	3	6	1
4	6	5	2	1	3
2	1	3	5	4	6
2	3	4	5	6	1
6	3	1	2	5	4
1	6	5	3	4	2

TABLAS DE
NÚMEROS ALEATORIOS

CREATIVIDAD

Leyendo las tablas horizontalmente, hay cuatro números en cada una. Éstos son los cuatro números que necesita para acceder a las tablas de Palabras Aleatorias.

(Si ha utilizado estas tablas y desea volver a usarlas, hágalo cambiando un número en cada secuencia.)

1	3	6	1		5	1	1	3
3	5	5	5		2	2	3	4
3	1	4	6		5	5	1	5
1	5	6	4		1	2	2	1
5	5	5	5		1	2	3	3
5	4	6	3		5	5	5	1
5	2	1	2		4	4	3	6
2	4	3	5		4	3	2	6
6	5	4	3		4	6	3	5
6	2	6	5		1	2	2	5
5	1	4	5		6	2	4	1
2	5	4	5		1	5	4	2
2	1	1	1		6	2	4	3
6	1	4	5		4	3	2	3
6	5	6	4		1	1	1	5

2 6 5 3	5 4 6 3	1 4 5 3
1 4 3 4	5 5 3 2	4 1 6 2
4 2 4 1	2 3 3 6	5 3 5 1
4 1 5 1	2 4 6 2	4 6 1 2
2 6 5 4	3 3 6 3	2 1 1 1
6 1 4 1	4 3 3 3	3 4 1 6
1 5 2 5	2 5 2 5	6 6 3 2
1 6 6 4	5 5 6 6	1 2 1 1
5 5 3 6	6 4 3 3	1 3 1 6
2 5 1 5	5 1 2 4	4 5 2 2
2 4 2 4	6 4 2 4	5 6 1 2
5 6 6 3	5 1 5 4	3 2 6 1
6 6 4 3	4 4 4 5	3 2 4 5
5 5 5 4	6 3 2 3	2 6 5 3
3 5 4 2	4 6 6 2	5 1 3 1

TABLA PREESTABLECIDA

Si inserta cualquier número del 1 al 6 en el espacio vacío, obtendrá una combinación diferente de los cuatro números que necesita para acceder a las tablas de Palabras Aleatorias.

```
1   6 3        2 4   6          3 2 1
6 4   3          5 3 5        2 3 5
5   2 6        2 1   2        2   4 4
  5 4 4        4   4 6        1 3 6
4 6   4          2 3 1        6 5   3

1 5 4            3 2 1        2   4 4
5 6   3        2   3 2        1 4   1
  6 4 3        5   5 3        6 4   3
5 5   1          2 6 6        1   5 5
  5 2 4        3 1   2          1 4 1

  2 1 5        2   6 3        4 2   6
1 3 6            4 2 2        6   6 1
5 5   1        4   3 4          6 3 1
1 4   5          1 2 2        4 5 3
6   6 5        1 3   5          2 3 1

  3 2 2        1   5 1        5 6   1
2   4 3        5 1 1          5 2   3
  6 5 3        2   6 6          5 1 3
5 3   4          5 6 5        4 2   5
3   3 6        3 3 2            1 5 6
```